CW00545946

LOS ACARNIENSES

———

LOS CABALLEROS

———

LAS TESMOFORIAS

———

LA ASAMBLEA DE LAS MUJERES

LETRAS UNIVERSALES

ARISTÓFANES

Los Acarnienses • Los Caballeros • Las Tesmoforias • La Asamblea de las Mujeres

Edición de Francisco Rodríguez Adrados

Traducción de Francisco Rodríguez Adrados

TERCERA EDICIÓN

CATEDRA
LETRAS UNIVERSALES

Diseño de cubierta: Diego Lara
Ilustración de cubierta: Dionisio Simón

Reservados todos los derechos. El contenido de esta obra está protegido
por la Ley, que establece penas de prisión y/o multas, además de las
correspondientes indemnizaciones por daños y perjuicios, para
quienes reprodujeren, plagiaren, distribuyeren o comunicaren
públicamente, en todo o en parte, una obra literaria, artística
o científica, o su transformación, interpretación o ejecución
artística fijada en cualquier tipo de soporte o comunicada
a través de cualquier medio, sin la preceptiva autorización.

© Ediciones Cátedra, S. A., 2000
Juan Ignacio Luca de Tena, 15. 28027 Madrid
Depósito legal: M. 5.168-2000
ISBN: 84-376-1014-1
Printed in Spain
Impreso en Fernández Ciudad, S. L.
Catalina Suárez, 19. 28007 Madrid

INTRODUCCIÓN

A Esperanza Rodríguez,
testimonio de amistad tras muchos
años de trabajo en común.

Aristófanes

EL presente volumen continúa el anterior, ofreciendo la traducción de otras cuatro comedias de Aristófanes: *Los Acarnienses* (425 a. C.), *Los Caballeros* (424), *Las Tesmoforias* (411) y *La Asamblea de las Mujeres* (391).

Los Acarnienses es el primer alegato de Aristófanes a favor de la paz en la guerra del Peloponeso; *Los Caballeros* es un ataque frontal contra Cleón, el demagogo ateniense jefe del partido belicista, quien había intentado un proceso a Aristófanes por los ataques de éste en *Los Babilonios,* del 426; *Las Tesmoforias* defienden cómicamente la causa de las mujeres frente a los hombres y parodian a Eurípides; *La Asamblea,* ya del siglo IV a. C., después de la guerra, propone solucionar la crítica situación económica de Atenas entregando el gobierno a las mujeres. El tema político de las dos primeras comedias se une aquí al feminista de la segunda, pasándose del ambiente de la ciudad en guerra, al de la ciudad en paz, pero derrotada y empobrecida.

Toda una evolución se reconoce en esta serie de comedias, no sólo la aludida. Se insiste cada vez más en los temas sociales, económicos y literarios; disminuye el papel de los coros. Pero en sustancia seguimos encontrándonos con lo mismo: con una fantasía medio seria, medio utópica para resolver los problemas de la ciudad entre risas y veras.

Y continúan vivos elementos como los *agones* o enfrentamientos, las *parábasis* en las que el coro habla en nombre propio o del poeta, las pequeñas escenas episódicas o ejemplificadoras. Sigue habiendo un héroe cómico central, que celebra su triunfo final con escenas de comida y erotismo. La comedia es fiesta, y la fiesta que en ella siempre aparece simboliza la paz y la felicidad y alegría que busca llevar a la ciudad.

También son constantes los recursos cómicos: la parodia de poesía, el escarnio de personajes contemporáneos, los recursos verbales, la obscenidad.

La traducción sigue las grandes líneas explicadas en la Introducción al volumen I. Trata de que no se pierda de vista la organización de las comedias, sus elementos poéticos y paródicos, etc.

Se sigue habitualmente el texto de la edición de Coulon-van Daele, pero no siempre. Para *Los Acarnienses* se sigue a veces el de Esperanza Rodríguez. Hay que advertir que las traducciones aquí de esta comedia y de *Los Caballeros* son nuevas, mientras que las de las otras dos comedias son versiones cuidadosamente revisadas de traducciones anteriores del autor: la de *Las Tesmoforias* se publicó en la editorial Coloquio (Madrid, 1987), la de *La Asamblea de las Mujeres* en el Círculo de Lectores (*Teatro Griego,* Barcelona, 1982).

Estas dos últimas obras han sido puestas varias veces en escena: las *Tesmoforias* se estrenaron en el VII Congreso Español de Estudios Clásicos, en abril de 1987, en el Paraninfo de la Facultad de Filosofía y Letras de la Universidad Complutense de Madrid; la *Asamblea* se presentó, entre otros lugares, en el Festival de Teatro Clásico de Mérida del año 1982.

BIBLIOGRAFÍA

ESTUDIOS

CARRIERE, J. C., *Le carnaval et la politique. Une introduction à la comédie Grecque suivie d' un choix de fragments,* París, 1979.

CROISET, M., *Aristophane et les partis à Athènes,* París, 1906.

DEARDEN, C. W., *The Stage of Aristophanes,* Londres, 1976.

LYTTLE, R. S., *Aristophanes and his audience,* Nueva Universidad del Ulster, 1978.

KOMORNICKA, A. M., *Métaphores, personifications et comparaisons dans l' oeuvre d' Aristophane,* Varsovia, 1964.

RUSSO, C. F., *Aristofane autore di teatro,* Florencia, 1962.

TAILLARDAT, J., *Les images d' Aristophane. Etudes de langue et le style,* París, 1965.

THIERCY, P., *Aristophane: Fiction et dramaturgie,* París, 1986.

NEWIGER, D., *Metapher und Allegorie. Studien zu Aristophanes,* Munich, 1957.

EDICIONES, TRADUCCIONES Y COMENTARIOS
DE LA TOTALIDAD DE LA OBRA

BERGK, TH., Leipzig, 2.ª ed., 1887.

BLAYDES, F. H. M., Halle, 1880-1893.

BOTHE, F. H., Leipzig, 2.ª ed., 1845.

ISLA BOLAÑOS, E. y otros, trad. española, Madrid, Aguilar, 1979.

KOCK, TH., Leipzig, 2.ª ed., 1857.

WILLENS, A., trad. francesa en prosa, París-Bruselas, 1919.

XURIGUERA, J. B., *Aristófanes. Comedias completas,* trad. y notas, 2.ª ed., Barcelona, 1965.

SEGLER, L., *Aristophanes. Antike Komödien,* traducción revisada por

H.-J. Newiger y P. Rau, Munich, Winkler, 1968. Otra ed. con intr. de O. Weinreich, Zurich-Stuttgart, Artemis, 1968.

Marzullo, B., Bari, 1968 (3.ª ed. en otros vols., Bari, Laterza, 1982).

Mastromarco, G., *Aristofane. Commedie,* Turín, Classici Utet, 1983.

Ediciones, traducciones y comentarios
de las obras incluidas en este volumen

Starkie, W. J. M., *Aristophanes. The Acharnians,* Londres, MacMillan, 1909 (reed. Amsterdam, Hakkert, 1968).

Rogers, B. B., *The Comedies of Aristophanes. The Acharnians. The Knighths,* intr., texto, trad. y notas, Londres, G. Bell and sons Ltd., 1930.

Gascó, E., *Teatro selecto clásico de Aristófanes,* versión de *Los Acarnienses, Los Caballeros, Las Tesmoforias* y otras comedias, prólogo y notas.

Russo, C. F., *Aristofane. Gli Acharnesi,* trad., ensayo crítico y notas, Bari, Adriatica Editrice, 1953.

Sommerstein, A. H., *The Comedies of Aristophanes.* Vol. I. *Acharnians,* intr., ed., trad. y notas, Warminster, Wilts, 1980.

De Sousa e Silva, M. de F., *Os Acarnenses. Aristófanes,* intr. y trad., Coimbra, Centro de Estudos Clássicos e Humanísticos, 1980.

García Calvo, A., *Los carboneros (Los acarnienses),* vers. rítmica y nota introductoria, Madrid, Lucina, 1981.

Rodríguez Monescillo, Esperanza, *Aristófanes. Comedias,* I, intr. general, intr., ed., trad. y notas de *Los Acarnienses,* Madrid, C.S.I.C., 1985.

Dover, K.-Tremewan, S., *A Companion to the Penguin translation of Alan H. Sommerstein (Clouds, Acharnians, Lysistrata),* Bristol, Classical Press, 1989.

Sommerstein, A. H., *The Comedies of Aristophanes.* Vol. 2. *Knights,* intr., texto, trad. y notas, Warminster, Wilts, 1981.

Paduano, G., *Aristofane. Gli Acarnesi,* intr., trad. y notas, Milán, Garzanti, 1986 (1.ª ed., 1979).

Neil, R. A., *The Knights of Aristophanes,* Hildesheim, Olms, 1966 (1.ª ed., Cambridge, 1901).

De Sousa e Silva, M.ª de F., *Aristófanes. Os cavaleiros,* intr., trad. y notas, Coimbra, Centro de Estudos Classicos e Humanísticos, 1985.

— *As Mulheres que celebran as Tesmofórias,* intr., trad. y notas, Coimbra, Centro de Estudos Classicos e Humanísticos, 1978.

Paduano, G., *La festa delle donne,* trad. y notas, Milán, Rizzoli, 1983.

ROGERS, B. B., *The Ecclesiazusae of Aristophanes,* texto, trad., intr. y com., Londres, Bell and Sons, 1917.

USHER, R. G., *Ecclesiazusae,* ed., intr. y com., Oxford, Clarendon Press, 1973.

ESPINOSA ALARCÓN, A., *Mujeres en Asamblea,* trad., intr. y notas, Granada, Inst. Historiae Iuris, 1977.

LÓPEZ EIRE, A., *Las Asambleístas,* ed., trad. y notas, Barcelona, Bosch, 1977.

PADUANO, G., *Aristofane. Le donne al Parlamento,* intr., trad. y notas, Milán, Rizzoli, 1984.

DE SOUSA E SILVA, M.ª de F., *Aristófanes. As Mulheres no Parlamento,* intr., trad. y notas. Coimbra, Centro de Estudos Classicos e Humanísticos, 1988.

VETTA, M., *Aristofane. Le donne all' Assemblea,* trad. de D. Del Corno, Fundación Lorenzo Valla, 1989.

LOS ACARNIENSES

INTRODUCCIÓN

En *Los Babilonios,* comedia puesta en escena en las Dionisias del año 426 a. C., Aristófanes presentaba a los isleños pertenecientes a la Liga Marítima que encabezaba Atenas como esclavos babilonios y atacaba a Cleón, que intentó un proceso a Aristófanes por haber criticado a la ciudad ante los extranjeros que venían en esa ocasión a traer el *phóros* o tributo. Parece que el poeta hubo de excusarse. En *Los Acarnienses,* presentada en las Leneas del 425 (sin la presencia de extranjeros) a nombre de Calístrato, el poeta se defiende y ataca de nuevo a Cleón. Con ello la pieza anticipa *Los Caballeros* (del 424) y, también, *Las Avispas,* con sus ataques a los jurados.

Pero es todo el partido belicista, vencedor en las elecciones del año anterior, el que es atacado. Como representante suyo se escoge al general Lámaco (quizá por su nombre, que suena a *mákhe* «batalla»), que es enfrentado al héroe cómico Diceópolis. Por cierto que a veces se le presenta como general, a veces como subordinado a éstos. Esto ha dado lugar a dudas, pues Lámaco fue elegido general sólo después de la representación de nuestra comedia: se ha propuesto ver en ésta un texto revisado.

Frente a los belicistas, Aristófanes nos presenta a su héroe Diceópolis («Justa ciudad»), un campesino del Ática que, incapaz de convencer a la Asamblea, hace una paz para sí mismo con ayuda de un semidiós Anfiteo. Ello lo logra a través de enfrentamientos con el coro de carboneros de Acarnas (muy castigados por las invasiones peloponesias del Ática), al que el héroe logra convencer dialécticamente; y con Lámaco, más tarde. Establece así su mercado, al que vienen el Megarense y el Beocio, víctimas de la guerra; y ciertos personajes que quieren aprovecharse de la paz de Diceópolis. Son primero Lámaco y luego el labrador y (a través de los padrinos) los novios, por los que el héroe cómico siente piedad. Se trata de escenas de ejemplificación muy propias de Aristófanes.

La paz de Diceópolis es presentada a través de dos fiestas: la inicial, las Dionisias del campo; y la final, los Jarros, en cuyo concurso de bebida vence el héroe. Junto a su felicidad se ofrece, en contraste, la desgracia de Lámaco, lastimado en un tobillo en forma poco heroica y que entra como un héroe trágico vencido. Al tema de la comida y la bebida, normal al final de una comedia, se une el erótico: las dos bailarinas que entran con el héroe borracho.

Aristófanes dice muy claramente (c. 500, etc.) que también la comedia conoce la justicia. No puede negarse su seriedad, pese a la presentación cómica. Pero la situación era grave en Atenas y Aristófanes estaba escarmentado. Por eso Diceópolis, al defender Esparta, lo hace parodiando al héroe Télefo (en el *Télefo* de Eurípides: pide a éste sus vestiduras, en una escena insertada). Su discurso junto al tajo en el que va a dejar que le corten la cabeza si no convence al coro, parodia el de Télefo: éste defendía a los troyanos frente a los príncipes aqueos.

Pero la argumentación de Diceópolis (que se hace a veces portavoz del poeta, igual que el coro) es claramente cómica. Versa toda ella en torno al «decreto megárico» dictado por Pericles el 433/432 y que excluía a esta ciudad doria, situada a la entrada del Istmo, de los mercados del imperio ateniense: el hambre de Mégara es uno de los temas de la comedia.

Para Aristófanes (que parodia, quizás, a Heródoto sobre el origen de la guerra entre Europa y Asia) todo consistió en una serie de represalias un tanto grotescas y en la obstinación de Pericles: la guerra podía haber sido evitada. Sin embargo, si leemos a Tucídides, debemos considerar el decreto a una luz más amplia: el crecimiento del poderío militar y comercial de Atenas, los intentos de Esparta y de sus aliados (Corinto y Beocia sobre todo) para asfixiarla. Su ultimátum (que

Atenas desterrara a Pericles) era inaceptable, el ceder habría llevado a un aumento de la presión.

Sólo que el plan de Pericles —resistir en los muros de Atenas y atacar en tanto con la flota hasta que Esparta cediera— fracasó con su muerte. Y que el partido belicista, en auge en el 425, quería extender más y más la guerra. Tras nuestra comedia todo pareció arreglarse, con la paz de Nicias el 422/421, saludada por *La Paz*. Pero luego la guerra volvió, para desgracia de Atenas y de toda Grecia. A esta segunda fase de la misma pertenece *Lisístrata,* en que el poeta renueva sus esfuerzos.

Volvamos a *Los Acarnienses*. Es una obra bien construida con materiales cómicos tradicionales, aunque sin un *agón* del tipo que luego se hizo canónico (los discursos enfrentados del héroe y el antagonista) y con gran predominio de las escenas sueltas. El esquema es: prólogo (1 y ss.) —*agones* prolongados e interrumpidos varias veces hasta el triunfo de Diceópolis (204 y ss.)— *parábasis* con elogio del poeta y de los viejos (628 y ss.) —ejemplificaciones de ese triunfo (escenas del megarense y el beocio, 719 y ss.)— éxodo a partir de 929 y ss. (escenas de Lámaco y del banquete, interrumpidas por la segunda *parábasis* de 971 y ss. y por escenas de ejemplificación, 1018 y ss.).

El poeta se las arregla para mantener la tensión hasta el triunfo de Diceópolis y para ello le ayudan las interrupciones, a base de pequeñas escenas, que comienzan en el mismo prólogo: las dos de los embajadores que regresan a Atenas y que hacen ver su corrupción y mala fe. Cuando llega el coro de acarnienses que ataca violentamente al héroe pacifista, surge la interrupción ocasionada por la procesión fálica de las Dionisias del campo: primera ejemplificación de los beneficios de la paz. Pero luego hay otra interrupción: la escena de Diceópolis pidiendo a Eurípides los lamentables harapos de Télefo.

Sigue el discurso de Diceópolis-Télefo, pero, para sorpresa nuestra, queda incompleto: la mitad del coro se deja convencer, la otra llama a Lámaco en su ayuda. Luego, tras un debate entre éste y Diceópolis, este partido es derrotado y el corifeo proclama la victoria del héroe cómico.

A partir de aquí, la comedia camina hasta la fiesta final en que es proclamado otra vez vencedor Diceópolis a través de una serie de incidencias a ratos deshilachadas: elogios al héroe y a la paz (segunda *parábasis*), canciones de escarnio, escenas ejemplificatorias (las cinco mencionadas) y, finalmente, la escena paródica entre el héroe sufriente Lámaco y el triunfante Diceópolis. La fiesta final, con el vino, la comida y el erotismo, da una vez más la imagen de la felicidad de la paz y del héroe cómico.

Con sus libertades respecto a los esquemas más comunes (*agón* irregular, dos *parábasis,* muchas escenas de ejemplificación), *Los Acarnienses* siguen en sustancia el tema cómico del héroe salvador que trae paz y felicidad mediante una trama fantástica y de sus enemigos derrotados (Lámaco) o convencidos (el coro). Abundan en ella tanto la parodia trágica (usada en el *agón* y en el éxodo sobre todo), la imitación paródica de otros pueblos (el dialecto del megarense y el tebano), el escarnio de contemporáneos, los tipos fijos (el héroe cómico, el labrador, el impostor...), etc. Tampoco faltan los enfrentamientos tópicos del héroe y los viejos, la crítica de la política ateniense, etc.

A ratos encontramos un tinte conservador: elogio de los viejos tiempos, crítica de los tribunales, los sofistas, Eurípides. Y otros progresistas o «modernos»: deseo de paz, igualitarismo, piedad por viejos y mujeres, individualismo hedonista. Como siempre en Aristófanes. Pero destaca, por encima de todo, el valor del poeta, su conciencia de que defiende la justicia. Aunque sea con recursos cómicos y argumentos que sostienen mal la crítica histórica.

PERSONAJES

DICEÓPOLIS, carbonero de Acarnas
HERALDO
ANFITEO, semidiós
EMBAJADORES que regresan de la corte del Rey
PSEUDARTABAS, el Ojo del Rey
TEORO, embajador que regresa de Tracia
CORO de acarnienses
HIJA de Diceópolis
SERVIDOR de Eurípides
EURÍPIDES
LÁMACO
MEGARENSE
HIJAS del megarense
SICOFANTA
TEBANO
NICARCO, otro sicofanta
MENSAJERO de Lámaco
LABRADOR
PADRINO DE BODA

(La orquestra representa la colina de la Pnix en Atenas, lugar de la Asamblea del Pueblo. Hay una pequeña tribuna y dos bancos laterales para las autoridades. Al fondo se ve la casa de Diceópolis *entre las de* Lámaco *y* Eurípides. Diceópolis *se sienta a esperar y monologa consigo mismo.)*

Diceópolis. ¡Cuántas veces me he sentido mordido en el corazón y qué pocas alegrías he tenido! Muy pocas, cuatro, mientras que mis dolores son arenacientos amontonados. Deja que vea: ¿de qué me alegré digno de delectación? Sé bien de qué me regocijé en mi corazón al verlo: de los cinco talentos que vomitó Cleón[1]. ¡Cómo sentí placer por esto y cómo amo a los caballeros[2] por esta acción: es digna de la Hélade![3]. Pero también tuve un dolor muy de tragedia, cuando estaba boquiabierto, esperando a Esquilo, y el individuo[4] dijo: «Teognis[5], haz entrar el coro». ¡Qué vuelco dio esto, qué te crees, a mi corazón! Pero tuve otra ale-

---

[1] Según el escoliasta, que cita al historiador Teopompo, se trata de un soborno dado a Cleón por los isleños para que influyera a favor de que fuera reducida su contribución a la Liga Marítima: los caballeros lo habrían descubierto y habrían obligado a Cleón a devolverlo. Más probablemente se trata de una invención del propio Aristófanes en *Los Babilonios,* su comedia del 426.

[2] Los jóvenes de las clases ricas de Atenas que servían en el ejército aportando el caballo. Eran conservadores y se oponían a Cleón.

[3] Parodia del *Télefo* de Eurípides, como buena parte de este prólogo y de toda la obra.

[4] El heraldo.

[5] Un poeta trágico denostado por Aristófanes (aquí y en el v. 140, también en *Tesmoforias,* 170). Le llamaban «La Nieve» por su frialdad. Según los escoliastas, es el mismo Teognis que fue uno de los treinta tiranos.

gría cuando después de Mosco entró una vez Dexiteo[6] para cantar una beocia[7]. Y este mismo año me sentí morir y me quedé bizco del espectáculo cuando asomó Queris para el himno *ortio*[8]. Pero jamás de los jamases, desde que me baño, nunca sentí el mordisco de la ceniza abrasiva[9] en mis cejas como ahora, cuando hay Asamblea ordinaria[10] de madrugada y la Pnix que aquí veis está vacía. Y ellos en tanto charlan en la plaza y tratan de escapar de la cuerda colorada[11].

Tampoco han llegado los del Comité Ejecutivo[12]: vendrán tarde y cuando lleguen se atropellarán unos a otros, ya lo verás, para sentarse en el primer banco, corriendo todos juntos. Pero de que se haga la paz, nada se cuidan. ¡Oh ciudad, ciudad! Yo, como siempre, vengo el primero a la Asamblea, espero sentado; y en cuanto estoy aquí solo, gimo, bostezo, me desperezo, pedorreo, no sé qué hacer, hago dibujos en el suelo, me arranco los pelos, hago mis cuentas, vuelvo mis ojos a los campos: deseo la paz, odio la ciudad, añoro mi aldea que nunca me dijo «compra carbón» ni «vinagre» ni «aceite» ni conocía esa sierra del «compra»[13]; ella misma lo producía todo y faltaba la sierra. Bien, pues ahora estoy aquí decidido del todo a gritar, a inte-

---

[6] Son dos citarodos (cantores que se acompañaban con la cítara), de los cuales el mejor era el segundo, vencedor en los Juegos Píticos. Se alude a un concurso citaródico.

[7] Canción beocia sobre la que nada podemos precisar.

[8] De Queris hablan los cómicos como de un flautista y citarodo pésimo. Aquí se trata de un concurso citaródico en que Queris había de ejecutar el venerado nomo *ortio* de Terpandro.

[9] Usada en vez de jabón.

[10] Había una por pritanía, o sea, diez al año. Se añadían las Asambleas extraordinarias.

[11] Con ayuda de ella los ciudadanos eran dirigidos hacia la Pnix desde la plaza o ágora. El que resultaba manchado por esta cuerda, era multado.

[12] Los prítanis, miembros de una pritanía o Comité Ejecutivo que durante una décima parte del año (eran diez) constituía una especie de Gobierno de Atenas. Durante su mandato los prítanis vivían en el pritaneo, en el ágora, y presidían la Asamblea.

[13] Juego de palabras intraducible entre «compra» y «sierra», palabras parecidas en griego: el tener que comprarlo todo en la ciudad es comparado con el ir y venir de la sierra. Y es un tormento para el campesino.

rrumpir ruidosamente, a insultar a los oradores si alguno habla de otra cosa que no sea la paz.
Pero ya están aquí los de la Comisión ejecutiva, los prítanis. ¡Y es mediodía! ¿No lo decía yo? Es lo que yo decía: ¡todos se empujan buscando los asientos de la presidencia!

(Entran el HERALDO, *prítanis, asambleístas.)*

HERALDO. ¡Adelante! ¡Adelante, colocaos dentro del recinto sagrado![14].

(Entra ANFITEO, *ser semidivino.)*

ANFITEO. ¿Ha hablado alguien ya?
HERALDO. ¿Quién pide la palabra?
ANFITEO. Yo.
HERALDO. ¿Quién eres?
ANFITEO. Anfiteo.
HERALDO. ¿No eres un hombre?
ANFITEO. No, soy inmortal[15]. Anfiteo era hijo de Deméter y Triptólemo; de éste nació Celeo; y Celeo se casó con Fenáreta, mi abuela. De ella nació Licino y de éste yo. Soy inmortal: sólo a mí concedieron los dioses hacer la paz con los lacedemonios. Pero aun siendo inmortal no tengo, señores, dietas para el viaje: los prítanis no me las dan[16].
HERALDO. ¡Arqueros![17].

(Los arqueros se llevan a ANFITEO, *que grita.)*

ANFITEO. ¡Oh Triptólemo y Celeo! ¿Vais a abandonarme?

14 Son las palabras rituales del heraldo. Con la sangre de la víctima del sacrificio inicial de la Asamblea se marcaba un círculo en torno al lugar de ésta, que quedaba consagrado así.
15 De este inmortal o «Semidiós» inventado por Aristófanes se da una genealogía que parodia las de Eurípides. Mezcla elementos míticos (Deméter, Triptólemo, Celeo que es padre del anterior en el mito eleusino) y otros inventados.
16 Como se las concedía la Asamblea a sus representantes, a propuesta de los prítanis.
17 Son los policías escitas, guardianes del orden en la Asamblea.

DICEÓPOLIS. (*Levantándose.*) Señores prítanis, hacéis agravio a la Asamblea llevándoos a este hombre que quería hacer la paz y colgar los escudos.

HERALDO. Siéntate y calla.

DICEÓPOLIS. No voy a hacerlo, por Apolo, si no me dais la palabra para hablar de la paz.

HERALDO. ¡Los embajadores venidos de la corte del Rey![18].

(*Entran los* EMBAJADORES, *vestidos a la manera persa, quizá con figura de pavo real, el ave persa.*)

DICEÓPOLIS. ¿De qué rey? Me fastidian los embajadores, sus pavos reales y sus bufonadas.

HERALDO. ¡Silencio!

DICEÓPOLIS. ¡Vaya morro! ¡Oh Ecbátana[19], qué facha!

EMBAJADOR. Nos enviasteis al Gran Rey con dietas de dos dracmas al día, siendo arconte Eutímenes[20].

DICEÓPOLIS. ¡Ay, pobres dracmas!

EMBAJADOR. En verdad, mucho sufrimos extraviándonos por la llanura del Caistro, bien provistos de tiendas y recostados blandamente en nuestras carrozas, muertos de fatiga[21].

DICEÓPOLIS. Yo estaba bien a salvo, junto a la muralla, echado en la basura.

EMBAJADOR. Nos daban hospitalidad y a la fuerza bebíamos de copas de cristal y oro un vino excelente sin mezclar.

DICEÓPOLIS. ¡Oh ciudad de Cranao![22]. ¿Te das cuenta de la burla de los embajadores?

EMBAJADOR. Es que los bárbaros sólo tienen por hombres de verdad a los que son capaces de comer y beber más.

DICEÓPOLIS. Pues nosotros los tenemos por degenerados y maricones.

---

[18] Sobre la base de embajadas realmente existentes Aristófanes inventa una de una duración y un coste extraordinario.

[19] La capital de Media (y capital de verano del Gran Rey).

[20] En el 437/36 a. C. La embajada había durado once años.

[21] La llanura del Caistro, junto a Éfeso, es verde y placentera, con buen camino; los embajadores viajan con tiendas y con carros techados, usados por los persas.

[22] Un antiguo rey de Atenas. También puede entenderse «ciudad rocosa». Es un epíteto tradicional de Atenas.

EMBAJADOR. Al cuarto año llegamos a Palacio: pero el Rey se había ido al retrete con su ejército y estuvo cagando ocho meses en los montes de oro[23]...

DICEÓPOLIS. ¿Y al cabo de cuánto tiempo cerró el culo? ¿Fue en la luna llena?

EMBAJADOR. *(Sin oírle)*... y luego volvió a casa. Y luego nos tuvo como huéspedes y nos servía bueyes enteros al horno.

DICEÓPOLIS. ¿Quién vio nunca bueyes al horno? ¡Qué exageración!

EMBAJADOR. Pues también nos sirvió, por Zeus, un ave de tres veces el tamaño de Cleónimo[24]. Su nombre era el Fraude[25].

DICEÓPOLIS. Por eso tú defraudas cobrando dos dracmas.

EMBAJADOR. Y ahora aquí estamos, trayendo a Pseudartabas, el Ojo del Rey[26].

DICEÓPOLIS. ¡Ojalá se lo saque un cuervo de un picotazo, y también el tuyo, el del embajador!

HERALDO. ¡El Ojo del Rey!

(Entra un personaje vestido de persa, cuya máscara figura un ojo enorme. Le acompañan dos eunucos.)

DICEÓPOLIS. ¡Heracles poderoso! Por los dioses, mamarracho, pareces un barco de guerra, ¿es que doblando el cabo buscas el astillero? ¿Tienes un cuero en torno al ojo, ahí debajo?[27]

23 Aristófanes juega con las palabras griegas «expedición» y «retrete» y alude a la leyenda de las montañas de puro oro que supuestamente había en Persia. Por su color o por otro juego de palabras las transforma en evacuatorio.

24 Político ateniense aliado de Cleón y luego de otros jefes radicales. Aristófanes le acusa de demagogia, cobardía, charlatanería y afeminamiento. En el año de *Los Acarnienses* promovió un decreto con medidas estrictas para cobrar el tributo de los aliados.

25 Juego de palabras con el fénix.

26 Ojos y Oídos del Rey eran llamados altos funcionarios que recogían información para él.

27 Medio cegado por la máscara que figura un gran ojo, el «Falso Artabas» entra balanceándose como un barco. El ojo parece la abertura por la que sale un remo, y la barba el cuero que la forraba, para atenuar el roce y evitar que entrara el agua.

EMBAJADOR. Vamos, lo que el Rey te envió a que dijeras a los atenienses, explícalo, ¡oh Pseudartabas!

PSEUDARTABAS. I artamane Xarxas apiaona satra.

EMBAJADOR. ¿Habéis entendido lo que dice?

DICEÓPOLIS. Por Apolo, yo no.

EMBAJADOR. Dice que el Rey va a enviaros un poquito de oro. (*A* PSEUDARTABAS.) Di más fuerte y claro lo del oro.

PSEUDARTABAS. No recibir tu oro, culiabierto de joniaco.

DICEÓPOLIS. Desdichado de mí, ¡qué claro!

EMBAJADOR. ¿Qué es lo que dice?

DICEÓPOLIS. ¿Que qué? Llama a los jonios culiabiertos si es que esperan oro de los bárbaros.

EMBAJADOR. No, está hablando de fanegas de oro[28].

DICEÓPOLIS. ¿Qué fanegas? Eres un gran falsario. Vete: voy a someterle yo solo a interrogatorio. (*Salen los* EMBAJADORES.) (*A* PSEUDARTABAS.) Ea, dime claramente delante de este testigo[29], para que no te tiña con tinte de Sardes[30]: ¿va el Gran Rey a enviarnos oro? (PSEUDARTABAS *hace con la cabeza un gesto negativo.*) Entonces, ¿somos tontamente engañados por los embajadores? (PSEUDARTABAS *y los eunucos asienten.*) Estos tíos han movido la cabeza afirmativamente a la manera de los griegos y no hay forma de que no sean de aquí mismo. Y de los dos eunucos, éste de aquí yo sé quién es, Clístenes el de Sibirtio[31]. ¡Oh tú que te has depilado ese ano tuyo de ardiente temple![32]. ¿Teniendo, mono, una barba como ésa viniste hasta nosotros disfrazado de eunuco?[33]. ¿Y quién es este otro? ¿No es Estratón?[34].

---

[28] Juego de palabras entre «abierto» y la medida persa que traducimos por «fanega» (más de dos metros cúbicos, en realidad).

[29] Le amenaza con el bastón.

[30] Es la púrpura, pero le amenaza en realidad con bañarlo en sangre.

[31] Clístenes es constantemente tratado de afeminado por Aristófanes; es irónico declararlo hijo de Sibirtio, un entrenador de la palestra.

[32] Parodia de Eurípides.

[33] Aristófanes parodia a Arquíloco fr. 76 Adr. (palabras de la zorra al mono), cambiando «culo» por «barba». Clístenes es barbilampiño y es ultraje de Aristófanes el hablar de su barba. O alude, quizá, al vello púbico: los eunucos debían de aparecer con un falo.

[34] Otro personaje sin barba satirizado por Aristófanes.

HERALDO. Calla y siéntate. El Consejo invita al pritaneo[35] al Ojo del Rey.

(PSEUDARTABAS *y los eunucos se van.*)

DICEÓPOLIS. ¿No hay como para ahorcarse? ¿Y entre tanto yo estoy aquí perdiendo el tiempo y no hay puerta que estorbe acoger a éstos como huéspedes? Voy a hacer una tremenda, gran hazaña. Pero Anfiteo, ¿dónde está?

ANFITEO. (*Entra de nuevo en la Asamblea.*) Aquí estoy.

DICEÓPOLIS. Coge estas ocho dracmas y haz la paz con los lacedemonios para mí solo, para mis hijitos y para la parienta. (*Sale* ANFITEO.) (*A los prítanis.*) En cuanto a vosotros, seguid mandando embajadas y haciendo el papanatas.

HERALDO. Que se adelante Teoro, vuelto de la corte de Sitalces[36].

TEORO. (*Adelantándose.*) Aquí estoy.

DICEÓPOLIS. Ahí tenemos a otro impostor que es introducido.

TEORO. No habríamos pasado tanto tiempo en Tracia...

DICEÓPOLIS. No de verdad, si no hubieras cobrado tantas dietas.

TEORO... si no hubiera habido una nevada en Tracia toda y los ríos no se hubieran helado.

DICEÓPOLIS. Por esa misma época presentaba aquí Teognis sus tragedias[37].

TEORO. Todo este tiempo estuve bebiendo con Sitalces. De veras, era amigo de Atenas grandemente y enamorado vuestro de verdad, de modo que escribía en las paredes[38]: «Los atenienses son guapos.» Y su hijo[39], al que habíamos

---

[35] La casa del gobierno, donde vivían los prítanis y a la cual se invitaba a los huéspedes oficiales de la ciudad.

[36] Teoro es presentado en *Las Avispas* como amigo y adulador de Cleón. Sitalces era rey de Tracia, aliado de Atenas.

[37] Véase más arriba sobre este trágico, apodado «La Nieve» por su poca fuerza poética.

[38] Como hacían los enamorados en Atenas.

[39] Sadoco, al que se le había concedido la ciudadanía de Atenas, gran honor.

hecho ateniense, deseaba comer morcillas de las Apaturias[40] y suplicaba a su padre que acudiera en ayuda de su patria. Y Sitalces juró, haciendo libaciones, que prestaría esa ayuda con un ejército tan grande que los atenienses dirían: «¡qué barbaridad de langostas se nos viene encima!».

DICEÓPOLIS. Ojalá muera malamente si creo algo de eso que has dicho aquí, excepto las langostas.

TEORO. Y ahora ha enviado en vuestra ayuda al pueblo más belicoso de los tracios.

DICEÓPOLIS. (*Aparte.*) La cosa es clara ya.

HERALDO. Que entren los tracios que trajo Teoro.

(*Entra un grupo de tracios, con el falo en erección.*)

DICEÓPOLIS. ¿Qué calamidad es ésta?

TEORO. Un ejército de odomantes[41].

DICEÓPOLIS. ¿De qué odomantes? Dime, ¿qué es eso? ¿Quién ha deshojado la polla de los odomantes?[42].

TEORO. Si alguien les da dos dracmas, machacarán con sus escudos toda Beocia[43].

DICEÓPOLIS. ¿Dos dracmas a estos desprepuciados? Lloraría el pueblo de remeros de la primera fila, el salvador de la ciudad[44]. (*Los odomantes arrebatan su alforja a* DICEÓPOLIS.) Parezco el desgraciado, los odomantes me saquean los ajos[45]. (*A los odomantes.*) ¡Soltad esos ajos!

TEORO. Desgraciado, no te acerques a ellos, están cebados con ajos.

---

[40] Fiesta de las fratrías o asociaciones gentilicias en que se admitía a los nuevos ciudadanos. Pero Aristófanes sugiere una etimología a partir de «engaño».

[41] Tribu tracia muy sanguinaria.

[42] Los odomantes aparecen circuncidados.

[43] En la guerra del Peloponeso los tracios fueron mercenarios de los atenienses; pero dos dracmas es una soldada excesiva. Los tracios eran infantería ligera que llevaba un pequeño escudo y cometieron muchos excesos.

[44] Los remeros de la primera fila eran los que mayor esfuerzo habían de hacer, al manejar los remos más largos ¡y sólo cobraban la mitad!

[45] Son como gallos de pelea, a los que se daban ajos para aumentar su ferocidad. Aquí se los roban a Diceópolis.

DICEÓPOLIS. ¿Habéis permitido, prítanis, que yo sufra esto en mi ciudad, y a manos de los bárbaros? Os prohíbo que hagáis una Asamblea sobre la soldada de los tracios. Os aseguro que hay una señal de Zeus y que me ha caído una gota de lluvia[46].

HERALDO. Que salgan los tracios y vuelvan pasado mañana. Que los prítanis disuelvan la Asamblea.

(*Salen el* HERALDO, TEORO, *los tracios, los prítanis y los asambleístas.*)

DICEÓPOLIS. (*Recuperando su alforja.*) Desgraciado de mí, qué ajoaceite[47] me he perdido. (*Entra de nuevo* ANFITEO, *corriendo.*) Pero aquí está Anfiteo, vuelto de Lacedemonia. Bienvenido, Anfiteo.

ANFITEO. No antes de que me detenga en mi carrera. Porque debo, en mi huida, escapar a los acarnienses[48].

DICEÓPOLIS. ¿Qué ocurre?

ANFITEO. Yo venía rápido trayéndote la paz; pero me olieron unos ancianos acarnienses, unos viejos consumidos, verdaderos robles, indomables, luchadores de Maratón, hechos de madera de arce. Y gritaron todos: «Maldito, traes la paz mientras mis vides están aún taladas? Y recogían piedras en sus capotes. Y yo huía y ellos me perseguían y gritaban.

DICEÓPOLIS. Que griten. ¿Traes la paz?

ANFITEO. Ahí, tres calidades que ves aquí. (*Le enseña tres odres de vino.*) Ésta es de cinco años. Pruébala.

DICEÓPOLIS. (*Probando el primer odre.*) ¡Puf!

ANFITEO. ¿Qué pasa?

DICEÓPOLIS. No me gusta, porque huele a pez y a preparativos navales[49].

ANFITEO. Pues toma esta de diez años y pruébala.

---

46 En caso de determinadas señales divinas o portentos (éste es bien pequeño) no se podía celebrar la Asamblea.

47 Se trata, en realidad, de una pasta que contenía, además de ajo y aceite, queso, huevo, miel, etc.

48 Al coro de la comedia, que le persigue.

49 La pez se usaba para calafatear las naves y conservar vinos de poca calidad.

DICEÓPOLIS. (*Probando el segundo odre.*) También ésta huele a embajadores enviados a las ciudades de la Liga, muy ácida, como a retrasos de los aliados[50].

ANFITEO. Pues esta otra (*le da el tercer odre*) es de treinta años por tierra y por mar.

DICEÓPOLIS. (*Probándola.*) ¡Oh Dionisias! Huele a ambrosía y a néctar y a no aguardar a la «comida para tres días»[51], sino que dice con su boca: «ve donde quieras». Ésta la acepto, la confirmo con una libación y me la beberé: mando a paseo muchas veces a los acarnienses. Y yo, libre de guerras y de desgracias, me voy a casa a celebrar las Dionisias del campo[52].

(DICEÓPOLIS *entra en su casa.*)

ANFITEO. Pues yo voy a ver si escapo de los acarnienses.

(ANFITEO *sale corriendo, mientras llega también corriendo el* CORO DE LOS CARBONEROS DE ACARNAS.)

PRIMER CORIFEO.

Seguidme todos, corred y preguntad por ese hombre
a todos los que pasen, que digno es de la ciudad
apresar a ese tipo. Ea, presentadme denuncia
si alguien sabe a dónde se dirige el que trae la paz.

CORO.

Estrofa.

Se ha escapado, se ha escapado.

---

[50] Una paz por poco tiempo significa preparativos de guerra. Atenas pide dinero y naves a sus aliados y éstos se buscan excusas.

[51] Se pedía que la llevaran los soldados en caso de expedición.

[52] Distintas de las Dionisias antes mencionadas, celebradas en Atenas en marzo y en las que tenían lugar los concursos teatrales. Las Dionisias del campo se celebraban en cada demo y habían sido interrumpidas por la guerra. Diceópolis, ahora en paz, vuelve a celebrarlas.

¡Desgraciado por mis años!
Jamás en mi juventud
cuando con un haz de leña
cogía corriendo a Faílo[53], / tan tranquilamente
este porta-paces, por mí perseguido,
se me habría escapado y escurrido rápido.

SEGUNDO CORIFEO.

Pero ahora que ya mis pantorrillas están rígidas
y le pesan las piernas al viejo Leocrátidas[54]
se ha largado. Mas ¡ea!, perseguidlo: ¡que nunca se ría
de habérseles fugado a los de Acarnas, por viejos que seamos!

CORO.

Antístrofa.

Ese que, ¡oh Zeus padre y dioses!,
pactó con nuestros enemigos, para los que «implacable
hostilidad
crece» en mí por mis campos.
No he de cejar hasta clavarme / en ellos cual junco[55]
agudo, punzante, hasta el puño, para
que ya nunca más pisoteen mis viñas.

DICEÓPOLIS. *(Desde dentro de la casa.)* ¡Silencio, silencio religioso!

CORIFEO.

Callad todos. ¿Escuchasteis, amigos, la orden de silencio?

---

[53] Faílo de Crotona, vencedor olímpico.

[54] Uno de los del coro. El nombre recuerda el de un arconte de antes de las Guerras Médicas.

[55] El junco es un arma cómica (como para las ranas en la *Batracomiomaquia*) que es descrita como una espada.

Es ese que buscamos. Aquí todos.
Apartaos. Parece que sale a hacer un sacrificio.

(*El* CORO *se aparta a los lados. De casa de* DICEÓPOLIS *sale la procesión de las Dionisias del campo: el propio héroe cómico, su mujer, sus hijos y esclavos. Dos de ellos llevan sobre sus hombros una vara y encima de ella el falo ritual.*)

DICEÓPOLIS. ¡Silencio, silencio religioso! Tú, la canéforo[56], adelántate un poco. (*La* HIJA *se acerca al altar, en el centro de la* orquestra.) Que Jantias[57] ponga derecho el falo. Deja en el suelo el cestillo para que ofrendemos las primicias.
HIJA. Madre, dame el cucharón, voy a echar puré de lentejas sobre esta torta.
DICEÓPOLIS. Está bien así. Señor Dioniso, te pido, tras hacer en tu honor y en forma grata a ti esta procesión y este sacrificio, festejar felizmente con mi familia las Dionisias del campo libre del ejército; y que la paz por treinta años me sea propicia.

(*La procesión se pone de nuevo en marcha.*)

Hija, lleva con gracia el cestillo, tú que la tienes, echando miradas como si mascaras ajedrea[58]. ¡Qué feliz el que se case contigo y te haga comadrejas[59] que pedorreen no menos que tú al amanecer! Camina, ten mucho cuidado no sea que alguien sin que le vean te roa... las joyitas[60].

Jantias, vosotros dos debéis llevar derecho el falo, detrás de la canéforo. Yo os seguiré y cantaré el himno fálico. Tú, mujer, contémplame desde la azotea. (*Al cortejo.*) ¡Adelante!

---

[56] Es su hija, que lleva sobre la cabeza un cestillo con objetos sagrados.
[57] Un esclavo.
[58] Planta de gusto amargo. La muchacha debe mirar a la gente adustamente: es una doncella, no una hetera.
[59] Podríamos decir «gatitos». Los griegos tenían en sus casas comadrejas para que les cazaran los ratones.
[60] Doble sentido.

(Desfila la procesión. La cierra DICEÓPOLIS *cantando.)*

Fales, de Baco compañero,
juerguista, errabundo en la noche,
    adúltero, marica,
tras cinco años te saludo
    volviendo con gusto a mi pueblo.
    Hice una paz para mí solo:
    de los disgustos y las guerras
    y de los Lámacos[61] ya libre.
Pues da mucho más gusto, ¡Fales, Fales!
pillar robando a guapa leñadora,
Tracia de Estrimodoro, en el roquedo:
    cogerla, levantarla en alto,
    derribarla, despepitarla.
        ¡Fales, Fales!
Si bebes con nosotros, después de la resaca
sorberás de mañana un buen plato de paz.
Y colgará el escudo encima del rescoldo.

(El CORO *ataca a los de la procesión, que huyen, salvo* DICEÓ-POLIS.*)*

CORIFEO.

Este mismo es, éste, éste:
tira, tira, tira, tira,
pega, pega a este canalla.
¿No le tiras? ¿No le tiras?

(El CORO *ataca.* DICEÓPOLIS *se defiende usando como escudo la olla del puré.)*

---

[61] General ateniense que dirigió diversas expediciones y murió en la de Sicilia el 415. Aristófanes lo presenta como belicista declarado; como tal actúa más adelante, como personaje, en esta comedia.

Estrofa 1.

Diceópolis.

¡Por Heracles! ¿Qué es esto? Vais a romperme la olla.

Coro.

A ti te lapidaremos, oh cabeza de bribón.

Diceópolis.

¿Por qué causa, venerables ancianos acarnienses?

Coro.

¿Eso preguntas? Tú eres / sinvergüenza y miserable
¡oh traidor a nuestra patria!, / tú que sólo de nosotros
hiciste la paz y aún / eres capaz de mirarnos.

Diceópolis.

¿Oísteis por qué la hice? Oídme ahora.

Coro.

¿Oírte a ti? Morirás, / te enterraremos con piedras.

Diceópolis.

No antes de que me escuchéis. Tened paciencia, amigos.

Coro.

No voy a tener paciencia / y no me hagas un discurso,
porque te odio aún más / que a Cleón, a quien en tiras
de cuero yo cortaré, sí, / para los caballeros[62].

Corifeo.

No voy a escucharte largos discursos,
a ti que hiciste la paz con los laconios, sino que te castigaré.

Diceópolis.

Amigos, dejad tranquilos a los laconios,
pero escuchad sobre mi paz, si la hice con razón.

Corifeo.

¿Y cómo puedes decir que con razón, si de cierto hiciste
la paz
con gente para la que no hay altar ni garantía ni promesa
firmes?

Diceópolis.

Bien sé que los laconios, con los que en demasía nos encar-
nizamos,

---

62 Cleón era curtidor. Se alude a *Los Caballeros,* presentada el año 424 y que
sin duda Aristófanes estaba ya preparando.

no son culpables de todas nuestras dificultades.

Coro.

¿No de todas, oh maldito? ¿Y tú osas decir esto
abiertamente ante nosotros? ¿Crees que voy a respe-
tarte?

Diceópolis.

No de todas, no de todas; y yo que te estoy hablando aquí
podría mostrar que en muchos casos son a veces agra-
viados.

Corifeo.

Esta palabra es ya terrible y altera mi corazón
si vas a atreverte a hablarnos a favor de los enemigos.

Diceópolis.

Pues si no digo algo justo y el pueblo no me aprueba
consentiré en hablar con mi cabeza sobre un tajo[63].

Corifeo.

Decidme: ¿por qué escatimamos las piedras, paisanos,
en vez de cardar a este individuo hasta convertirlo
en un capote purpúreo?[64].

Diceópolis.

¡Cómo ha ardido otra vez este rabioso tizón vuestro!
¿No vais a escuchar, no vais a escuchar de una vez,
oh acárnicos?

Corifeo.

Pues no vamos a escucharte.

Diceópolis.

Muy mal lo voy a pasar.

Corifeo.

Perezca yo, si te escucho.

Diceópolis.

De ningún modo, ¡oh Acárnicos!

Corifeo.

Sabe que ahora mismo vas a morir.

Diceópolis.

Pues también yo os morderé.

---

[63] Referencia al *Télefo* de Eurípides, cuyo héroe dice que no dejará de decir
la verdad aunque alguien le amenace con un hacha.

[64] Como el que usaban en la guerra sus amigos los espartanos.

Porque a mi vez mataré a los más queridos de vuestros seres queridos:
tengo rehenes vuestros y voy a degollarlos.

(DICEÓPOLIS *entra en su casa.*)

CORIFEO.
Decidme: ¿qué amenaza es ésa, paisanos,
para nosotros los acárnicos? ¿Acaso tiene un niño de alguno
de los presentes y lo ha encerrado dentro? ¿O por qué se envalentona?

(*Sale* DICEÓPOLIS *con un cuchillo y un saco de carbón y se coloca sobre el altar.*)

DICEÓPOLIS.
Tiradme piedras, si queréis, yo voy a matar a éste[65].
Muy pronto voy a saber quién de vosotros se preocupa por el carbón.
CORIFEO.
Estamos perdidos: este saco es paisano mío.

(*A* DICEÓPOLIS.)

No hagas eso que intentas, de ningún modo.

Antístrofa 1.

DICEÓPOLIS.
Lo mataré: puedes gritar, yo no voy a escucharte.
CORO.
¿Vas a perder a ese amigo / que ama a los carboneros?
DICEÓPOLIS.
Tampoco vosotros me escuchasteis cuando yo quería hablar.

---

65 Parodia de la escena del *Télefo* en que este héroe para salvar su vida toma como rehén a Orestes, hijo de Agamenón. Aquí hace ese papel el saco de carbón amado por los carboneros de Acarnas.

CORO.

Pues ahora puedes hablar / lo que quieras: dime al punto
por qué causa ahora el laconio / es para ti un buen amigo:
porque a este saquito yo / nunca voy a traicionarlo.

DICEÓPOLIS.

Lo primero, arrojad las piedras al suelo.

(*Las arrojan.*)

CORO.

Ya las tienes en el suelo, / pero tú deja la espada.

DICEÓPOLIS.

Mira, no sea que en vuestros mantos quede alguna piedra.

(*El* CORO *danza sacudiendo sus mantos.*)

CORO.

Las he sacudido al suelo: ¿no las ves ya sacudidas?
No me pongas más pretextos, / deja en el suelo tu arma.
Ves cómo sacudo el manto / mientras que lo hago girar.

(DICEÓPOLIS *deja el cuchillo.*)

DICEÓPOLIS.

Así que ibais todos a levantar vuestros gritos
y por poco no murieron unos carbones del Parnes[66],
y todo ello por la extravagancia de sus paisanos.

(*Deja el saco en el suelo y ve las manchas de hollín en su manto.*)

De miedo, cantidad de hollín
me soltó encima el saco, como una sepia.

(*Continúa su discurso.*)

Cosa terrible es que sea tan avinagrado el carácter de estos

---

[66] Monte del Ática al norte de Atenas en cuyas laderas estaba el demo de
Acarnas.

hombres, que apedreen y griten y no quieran oír nada que oponga lo igual a lo igual. ¡Y eso que yo ofrecía decir con la cabeza sobre el tajo todo lo que fuera a decir a favor de los lacedemonios! Y, sin embargo, yo amo mi vida.

Estrofa 2.

CORO.
¿Por qué no nos cuentas, el tajo sacando a la puerta,
ese gran argumento, infeliz?
Porque ansío saber lo que piensas.

CORIFEO. Ea, en los mismos términos que tú has propuesto, pon aquí el tajo y comienza tu discurso.

(DICEÓPOLIS *entra en su casa y sale con un tajo de carnicero.*)

DICEÓPOLIS. Mirad, aquí tenéis el tajo y aquí estoy yo, el que va a hablar, así de pequeñito. Descuidad, no me ocultaré tras un escudo, sino que diré a favor de los lacedemonios lo que pienso. Y, sin embargo, tengo mucho miedo: pues bien me sé cómo son los rústicos, cómo disfrutan si un charlatán cualquiera los elogia a ellos y a la ciudad, con razón y sin ella. Y no se dan cuenta de que en este momento están vendidos; pero bien sé que los corazones de los viejos no miran a otra cosa que a morder con sus votos[67]. Recuerdo lo que sufrí por culpa de Cleón por la comedia del año pasado[68]. Me llevó a rastras al Consejo y se dedicó a calumniarme: desató su lengua en mentiras contra mí y bramó como el Cislóboro[69] y me bañó en insultos hasta que casi perecí entre sucias intrigas.

---

[67] Alude a la *heliea* o tribunales populares, haciendo una crítica que es anticipo de la de *Las Avispas.*
[68] *Los Babilonios.* El héroe cómico hace aquí de portavoz del poeta, que fue acusado ante el Consejo por Cleón por haber difamado a Atenas ante un público de extranjeros; la acusación no prosperó. Cfr. también más abajo, 502 y ss., entre otros pasajes.
[69] Torrente del Ática que traía mucha agua en las avenidas.

Pero antes de pronunciar mi discurso, dejadme que me vista del modo más lastimero.

Antístrofa 2.

Coro.

¿Por qué esos trucos y maniobras y demoras?
Por mí, puedes pedirle a Jerónimo[70]
su espeso y negro casco de Hades.

Corifeo. Y ahora puedes desplegar las trampas de Sísifo, que este debate no encontrará pretexto de suspensión.

Diceópolis. Es el momento de aprestar un alma valerosa: he de dirigirme a la casa de Eurípides. (*Llama a la puerta de* Eurípides.) ¡Chico, chico!

(*Asoma el* servidor *de* Eurípides.)

Servidor. ¿Quién es?
Diceópolis. ¿Está Eurípides en casa?
Servidor. No está dentro, dentro, si puedes entenderlo.
Diceópolis. ¿Cómo está dentro y no está dentro?
Servidor. Justamente, oh anciano. Su espíritu, que recoge versitos por aquí fuera, no está dentro, pero él sí que está dentro y con los pies en alto[71] compone una tragedia.
Diceópolis. ¡Oh Eurípides tres veces dichoso por tener un esclavo que responde tan sabiamente! (*Al* servidor.) Llámalo.
Servidor. Imposible.
Diceópolis. De todos modos: no voy a marcharme. Aporrearé la puerta. (*Llama.*) ¡Eurípides, Euripidín! Escúcha-

---

[70] Poeta trágico que según los escolios sacaba máscaras horripilantes y llevaba él mismo una larga cabellera que Aristófanes compara con el «casco de Hades», que hacía invisible.

[71] Según la interpretación más común, esta simplemente reclinado en su lecho.

me, si alguna vez lo hiciste para alguien: te estoy llamando yo, Diceópolis de Coledas[72].

Eurípides. *(Desde dentro.)* No tengo tiempo.

Diceópolis. Coge el giratorio[73].

Eurípides. Imposible.

Diceópolis. A pesar de todo.

Eurípides. Cogeré el giratorio, pero no tengo tiempo de bajar[74].

(Aparece el interior de la casa: Eurípides en su lecho, su esclavo, y en torno vestidos, máscaras y accesorios teatrales.)

Diceópolis. ¡Eurípides!

Eurípides. ¿Qué palabras has proferido?

Diceópolis. Compones con los pies en alto pudiendo hacerlo con ellos en el suelo. No en vano presentas personajes cojos. Pero, ¿por qué llevas esos harapos sacados de una tragedia, «un vestido lastimoso»? No en vano presentas personajes cojos. Te imploro, Eurípides, por tus rodillas[75] *(las coge)*, dame un pequeño harapo de tu vieja tragedia[76]. Porque debo dirigir al coro un largo parlamento: y ello me trae la muerte si lo digo mal.

Eurípides. ¿Qué trapos? Aquellos con los que salía a escena Eneo, este de aquí[77], el viejo infortunado?[78]

Diceópolis. No eran los de Eneo, sino los de otro aún más desdichado.

Eurípides. ¿Los del ciego Fénix?[79]

---

[72] Un demo próximo a Acarnas. En griego hay un juego de palabras con los «cojos» que Eurípides gustaba introducir en sus tragedias, véase más adelante.

[73] El giratorio o *eccyclema* es una plataforma circular que, girando, hace salir a la escena los interiores. Eurípides la usaba mucho.

[74] Del lecho.

[75] Fórmula épica y trágica.

[76] El *Télefo*. Afecta no recordar el nombre.

[77] Quizá señala a su máscara y ropajes.

[78] Eneo, rey de Calidón, fue destronado por sus sobrinos a favor del padre de éstos, Agrio.

[79] Acusado de haber seducido a una concubina de su padre, fue cegado y desterrado por éste, según cuenta ya la *Ilíada*.

DICEÓPOLIS. No de Fénix, no: era otro más desdichado aún que Fénix.

EURÍPIDES. ¿Qué jirones de manto está pidiendo este individuo? ¿Quieres decir los del mendigo Filoctetes?[80].

DICEÓPOLIS. No, los de otro mucho, mucho más mendigo que éste.

EURÍPIDES. ¿O es que quieres las sucias vestiduras que llevaba Belerofontes, este cojo?[81].

DICEÓPOLIS. Tampoco de Belerofontes; pero también aquel otro era cojo, mendigo, charlatán, formidable orador.

EURÍPIDES. Lo conozco, Télefo el misio[82].

DICEÓPOLIS. Télefo, sí: dame de ése los pañales.

EURÍPIDES. Chico, dale los harapos de Télefo. Están encima de los andrajos de Tiestes[83], entre ellos y los de Ino[84]. Ahí los tienes, cógelos.

(El SERVIDOR *se los da,* DICEÓPOLIS *los toma.)*

DICEÓPOLIS. ¡Oh Zeus que miras a través[85] y miras hacia abajo en todas partes, que yo pueda vestirme como el más miserable! *(A* EURÍPIDES.*)* Eurípides, ya que me has hecho este favor, dame también lo que acompaña a los harapos, el gorrito misio para la cabeza. «Pues hoy debo parecer un mendigo y ser el que soy yo, pero no aparentarlo»[86]: que el público sepa quién soy yo, pero el coro esté a mi lado cual

80 Expulsado del ejército aqueo por causa de la mordedura infectada de una serpiente, vivía en Lemnos, solo, cojo y miserable.

81 Señala la máscara. Belerofontes fue derribado del caballo Pegaso por haber querido subir con él al Olimpo; en su tragedia, Eurípides lo presenta como cojo por causa de su caída.

82 Herido por la lanza de Aquiles en el primer desembarco griego en Asia, sólo ésta podía curarlo. Télefo, cojo, vino a Grecia de Misia, su patria, en busca de esa curación.

83 Tiestes (en la obra de este nombre) era desterrado por su hermano Atreo al descubrir su adulterio con la mujer de aquél, Aérope.

84 Se lanzó al mar tras ser asesina de su hijo por causa de la locura dionisiaca.

85 Los harapos están agujereados, Diceópolis los ha mirado levantándolos en alto.

86 Versos del *Télefo,* como otros a lo largo del pasaje.

imbécil para que yo les haga la higa con mis frasecitas. *(Se pone los harapos.)*

EURÍPIDES. Te lo daré: pues tramas sutiles ingeniosidades con apretada inteligencia.

(Le da el gorro. DICEÓPOLIS *se lo pone.)*

DICEÓPOLIS. Que seas feliz. Y que Télefo tenga lo que yo quiero. *(Aparte.)* Bien. ¡Cómo me estoy llenando de palabritas! Pero necesito un bastón de mendigo.

EURÍPIDES. Tómalo y vete lejos del «marmóreo recinto».

DICEÓPOLIS. *(Para sí.)* Corazón mío, ¿ves cómo soy echado de la mansión cuando preciso todavía de muchos bártulos? Sé ahora pegajoso, mendicante, suplicante. *(A* EURÍPIDES.*)* Eurípides, dame un cestillo quemado por la lámpara.

EURÍPIDES. ¿Y qué falta te hace ese trenzado, desdichado?

DICEÓPOLIS. Falta, ninguna, pero quiero tenerlo.

EURÍPIDES. *(Se lo da.)* Eres molesto, vete de mi casa.

DICEÓPOLIS. ¡Oh! ¡Ojalá seas feliz, como tu madre![87]

EURÍPIDES. Márchate de una vez.

DICEÓPOLIS. Dame aún una cosa solamente, un pequeño tazón con el borde desportillado.

EURÍPIDES. Cógelo y revienta. *(Se lo da.)* Eres importuno en mi casa.

DICEÓPOLIS. No te das cuenta, por Zeus, del daño que causas. Pero, dulcísimo Eurípides, tan sólo esto: dame una ollita taponada con una esponja[88].

EURÍPIDES. Amigo, vas a dejarme sin tragedia. Tómala y vete. *(Se la da.)*

DICEÓPOLIS. Ya me voy, pero ¿qué voy a hacer? Necesito una cosa que si no la encuentro estoy perdido. Escúchame, Eurípides dulcísimo: si la cojo, me marcho y ya no vuelvo. Échame en el cestillo unas hojas secas de berza[89].

---

[87] Alusión malévola a la madre, que era verdulera según los cómicos. Siguen otras.

[88] Todo es parodia de la escena del *Télefo*. Éste llevaba sin duda una olla con ungüento para su herida.

[89] Alimento de los pobres.

EURÍPIDES. Acabarás conmigo. Toma. (*Se las da.*) Adiós mis dramas.

DICEÓPOLIS. Ya no más, ya me voy. Soy importuno en demasía, «no viendo que los reyes me aborrecen».

¡Desdichado de mí, cómo soy muerto! He olvidado una cosa de la que todo depende para mí. ¡Euripidín, oh el más dulce y querido, muera yo malamente si te pido otra cosa todavía, salvo una sola, ésta sola, ésta sola: dame el perifollo «que de tu madre has recibido»[90].

EURÍPIDES. ¡Qué insolente! (*Al* SERVIDOR.) «Echa los cierres de la mansión.»

(*El giratorio se lleva dentro a* EURÍPIDES *y el interior de la casa.*)

DICEÓPOLIS. ¡Corazón mío! Sin perifollo hay que marcharse. ¿Sabes acaso qué combate vas a librar al disponerte a hablar en favor de los lacedemonios? Adelante, corazón mío: ahí está la línea de salida[91]. ¿Te quedas quieto? ¿No vas a entrar en la carrera, después que te has tragado a Eurípides? (*Da un paso o dos hacia el tajo.*) ¡Muy bien! Ea, corazón mío desgraciado, ve allí y luego pon allí tu cabeza después de haber dicho cuanto te parezca. Ten valor, ea, adelántate. (*Se coloca junto al tajo.*) ¡Bravo mi corazón!

Estrofa.

CORO.

¿Qué vas a hacer? ¿Qué a decir? Bien sabe
que no tienes pudor y eres de hierro,
tú que tras ofrecer / a la ciudad tu cuello
vas tú solo a decir / al contrario de todos.
(*Aparte.*) Este hombre no teme la empresa. (*A* DICEÓPOLIS.) Ea,
pues que esta es tu elección, puedes ya hablar.

---

[90] Esta vez se trata de una parodia de Esquilo, *Coéforos.*
[91] Alusión a una carrera en el estadio, con referencia, al tiempo, al tajo.

Diceópolis. No lo toméis a mal, espectadores, si siendo yo un mendigo[92] me dispongo a hablar de la ciudad ante los atenienses, componiendo una comedia. Pues también la comedia conoce la justicia.

Voy a decir cosas terribles, pero justas. Ahora no va a calumniarme Cleón diciendo que hablo mal de la ciudad delante de los extranjeros. Estamos solos, este es el concurso del Leneo[93] y todavía no han venido los extranjeros: pues ni nos han llegado los tributos[94] ni los aliados de las islas. Estamos ahora solos, bien cernidos; pues llamo a los metecos el cascabillo de la ciudad[95].

Yo odio mucho a los lacedemonios y ojalá Posidón, el dios de Ténaron[96], haga un terremoto y derribe todas sus casas: también a mí me han talado las viñas. Pero, amigos que escucháis mi discurso, ¿por qué acusamos de esto a los lacedemonios? Gente de aquí —no hablo de la ciudad; acordaos de esto, que no hablo de la ciudad— unos tipejos miserables, moneda falsa, sin valor, de cuño contrahecho, casi extranjeros[97], se pusieron a denunciar: «esos pequeños mantos son de Mégara»; y si veían un pepino o una pequeña liebre o un lechón o un ajo o unos terrones de sal, todo eso era de Mégara y se subastaba el mismo día[98]. Todo esto son pequeñeces e historias locales, pero unos jovencitos

---

[92] El discurso parodia el de Télefo a favor de los troyanos ante los jefes aqueos. Al tiempo, Diceópolis hace de portavoz de Aristófanes.

[93] Esta comedia fue presentada a las fiestas Leneas, a las que no venían extranjeros de la Liga Marítima como a las Dionisias. El Leneo era un lugar de culto dionisiaco, donde celebraban sus ceremonias las lenas o ménades; en un comienzo, se representaban allí las comedias.

[94] Que traían a Atenas los aliados de las islas en las Dionisias, en marzo.

[95] Pasaje poco claro. Lo relativo a los metecos (extranjeros domiciliados, que sin duda estaban en el teatro) parece un añadido, algo que el poeta había olvidado. Suele entenderse que ciudadanos y metecos son como la harina y el cascabillo, que juntos se amasan para hacer el pan.

[96] Tenía un templo en el cabo Ténaron, en Laconia.

[97] De ciudadanía dudosa, culmina así la comparación con la mala moneda.

[98] Por el decreto megárico (véase más adelante) se prohibía el comercio con Mégara; sus productos eran confiscados y subastados. Pero esto es antes del decreto, se refiere quizá a actos de contrabando.

borrachos en el cótabo[99] fueron a Mégara y raptaron a una puta, Simeta. A continuación los megarenses, excitados por la rabia como por una dieta de ajo[100], raptaron a dos putas de Aspasia[101]. Y de aquí estalló el comienzo de la guerra para todos los griegos: por dos putillas. Desde ese momento el Olímpico Pericles se puso a relampaguear, a tronar, a alborotar a Grecia y a dar leyes escritas como escolios[102]: «que los megarenses ni en tierra ni en el mercado ni en tierra firme sean admitidos»[103]. Y luego los megarenses, como sufrían de hambre cada vez más, pidieron a los lacedemonios que el decreto de las putillas[104] fuera vuelto contra la pared, pero nosotros no queríamos, aunque insistieron muchas veces. Y ahora ya sí que hubo ruido de escudos.

Dirá uno: «no debían». Pero, ¿qué debían hacer?, decídmelo. Vamos: si un lacedemonio «yendo con su navío» hubiese denunciado y confiscado un cachorrillo de los serifios[105], «¿os habríais quedado sentados en casa? Ni mucho menos»[106]. Al punto habríais botado al agua trescientas naves y estaría llena la ciudad del alboroto de los soldados, del griterío en torno al trierarco[107], del pago de la soldada,

---

99 El cótabo era un juego que se practicaba mientras se bebía: el resto de la copa se arrojaba a un recipiente de metal y se hacían adivinanzas por el sonido.

100 Principal producto de Megara. Recuérdense los gallos de pelea que así se hacían más belicosos.

101 La mujer de Pericles. Sobre esta historia, véase la Introducción. Presentar a Aspasia como proxeneta es pura invención.

102 Canciones de mesa. Se alude a una de Timocreonte de Rodas de la que hay ecos en lo que sigue.

103 Es el famoso decreto megárico por el cual se excluía a los de Mégara del espacio comercial ateniense.

104 La inscripción en que estaba grabado: según Plutarco los lacedemonios dijeron que se contentaban con lo que aquí se dice, no hacía falta derogarlo explícitamente.

105 Sérifos era la más pequeña de las Cícladas y parte del imperio ateniense. Atenas la habría defendido, a pesar de todo.

106 Otra cita del *Télefo*.

107 Ciudadano encargado de aparejar una nave, como prestación a la ciudad.

del dorado de las imágenes de Palas[108], del bullicio en el pórtico[109], de la medición de raciones, de la compra de odres, estrobos, tinajas, de ajos, olivas y cebollas en redes, de coronas, boquerones, flautistas y ojos amoratados; y el arsenal a su vez lleno de cepillado de remos, de amartillado de pernos, de correas que se fijan en los escobenes, de flautas, cómitres, pitos y silbidos[110].

Esto sé que haríais. «¿Y no creemos que Télefo?» Entonces, es que no tenemos entendederas.

(Diceópolis *pone la cabeza en el tajo. El primer* semicoro *avanza hacia él, amenazador.*)

Corifeo 1. ¿De verdad, bribón infame? ¿Tú, un mendigo, te atreves a decirnos esto y si hubo un sicofanta, nos haces reproche de ello?

Corifeo 2. Por Posidón, es justo todo lo que dice y en nada de ello miente.

Corifeo 1. ¡Y, aunque sea justo, debía decirlo? No va a osar decir esto impunemente.

(*El primer* semicoro *intenta pegar a* Diceópolis; *el otro se interpone.*)

Corifeo 2. Tú, ¿dónde vas? Estate quieto, porque si pegas a este hombre, pronto te levantaré en vilo.

(*Luchan los dos* semicoros, *el primero es derrotado.*)

Semicoro 1.

Oh Lámaco[111] que miras cual relámpago,

---

108 Las llevaban las naves como mascarones; se doraban en cada expedición.

109 En el Pireo. Era un mercado de granos.

110 Todo tiene que ver con la transmisión de órdenes a los remeros y el gobierno de la nave en general.

111 El coro llama en su ayuda a Lámaco, que era de su misma tribu, la Eneide. Lámaco juega aquí el papel de Aquiles en el *Télefo,* cuando se presen-

socorro, empenachado de Gorgonas,
oh Lámaco, oh amigo de mi tribu.
Si hay un taxiarco, un general
o un asaltamuros, que me ayude
ya de una vez: sujetan mi cintura.

(*Aparece* LÁMACO.)

LÁMACO. ¿De dónde he escuchado un grito belicoso? ¿A dónde he de ir en socorro? ¿A dónde he de llevar mi ímpetu guerrero? ¿Quién despertó a mi Gorgona de su funda?

DICEÓPOLIS. ¡Oh héroe Lámaco, por tus penachos y tus batallones!

CORIFEO 1. ¡Oh Lámaco! ¿No es cierto que este individuo hace tiempo que está infamando a nuestra ciudad toda?

LÁMACO. (*A* DICEÓPOLIS.) Tú, ¿osas, siendo un mendigo, decir eso?

DICEÓPOLIS. Ten comprensión si, siendo yo un mendigo, dije y balbucí alguna cosa.

LÁMACO. ¿Qué dijiste de nos? ¿No lo dirás?

DICEÓPOLIS. No lo sé, pues de miedo a tus armas me dan mareos. Te lo suplico, quítate sólo el espantajo[112].

LÁMACO. (*Da la vuelta al escudo.*) Ya está.

DICEÓPOLIS. Déjalo en el suelo boca arriba.

LÁMACO. (*Lo hace así.*) Ahí está.

DICEÓPOLIS. Dame ahora esa pluma del casco.

LÁMACO. Ahí tienes la pluma.

DICEÓPOLIS. Cógeme la cabeza para que pueda vomitar, pues los penachos me dan náuseas.

LÁMACO. ¿Qué vas a hacer? ¿Vomitarás con la pluma? Es una pluma...

---

ta para salvar al héroe de Agamenón; pero la solución de la comedia es distinta. En realidad, sólo dos meses después de ser representada fue elegido Lámaco general; pero ya antes había realizado brillantes campañas. Quizá es traído a este pasaje de la comedia por causa de su nombre, que contiene *mákhe* «batalla». Se discute si aparece vestido de taxiarco (comandante de caballería) o de general o en forma convencional.

[112] La Gorgona, es decir, el escudo.

DICEÓPOLIS. Dime, ¿de qué ave es? ¿Acaso de fanfaves-truz? [113].

LÁMACO. ¡Ay! Vas a morir.

DICEÓPOLIS. De ningún modo, Lámaco. No es asunto de fuerza. Pero si eres fuerte, ¿por qué no me descapullaste? Estás bien armado [114].

LÁMACO. Eso dices del general, tú, un mendigo [115].

DICEÓPOLIS. ¿Yo un mendigo?

LÁMACO. ¿Pues quién eres?

DICEÓPOLIS. ¿Quién? Un ciudadano honrado, no un busca-cargos sino, desde que comenzó la guerra, un soldádida; y tú, desde que comenzó la guerra, un bienpagádida.

LÁMACO. Es que me votaron...

DICEÓPOLIS. Tres cucos [116]. De asco ante esto hice la paz, viendo a hombres canosos en las filas y a jóvenes como tú que se han escurrido y a otros en Tracia cobrando tres dracmas de dietas, los Tisámenos, Fenipos y Bribonhipár-quidas [117], otros todavía con Cares, otros en los Caones [118]: los Geres, los Teodoros, los Diomeacuentistas [119]; y otros aún en Camarina y Gela y en Catagela [120].

LÁMACO. Es que fueron votados.

DICEÓPOLIS. ¿Y cuál es la causa de que vosotros siempre co-bréis una paga de una manera u otra, pero de éstos ningu-no? (*Señala al* CORO.) En serio, Carbónida, ¿has ido alguna vez en una sola embajada, siendo viejo como eres? Vaya, ha hecho gesto de que no; y, sin embargo, es buena persona y trabajador. ¿Y qué Carboncito o Buencargador o Róbli-

---

113 En vez de «de avestruz».

114 Doble sentido: Diceópolis invita a Lámaco a que le circuncide con su gran espada o bien a que le excite y tenga trato anal con él, pues está bien do-tado sexualmente.

115 Quizá Lámaco había sido ya nombrado, aunque no hubiera tomado posesión; o, simplemente, se esperaba su nombramiento.

116 Tres idiotas, quiere decir.

117 Nombres, como los que siguen, más o menos inventados de los nobles buscacargos antes aludidos.

118 Pueblo del Epiro que había luchado contra Atenas. Su nombre hacía reír, suena a *khásko* «abrir la boca», «ser un papanatas».

119 Diomea es un pueblo del Ática.

120 «Irrisión».

da?[121]. ¿Alguno de vosotros visitó Ecbátana o los Caones? Dicen que no. Pero sí el hijo de Cesira[122] y Lámaco, a los que los amigos, por causa de sus cuotas y de sus deudas[123], todavía anteayer, igual que los que vierten agua sucia al atardecer, todos sus amigos les decían «aparta»[124].

LÁMACO. ¡Oh democracia!, ¿es esto soportable?

DICEÓPOLIS. No en verdad, salvo que Lámaco cobre una paga.

LÁMACO. Pues yo a todos los peloponesios siempre les haré la guerra y los pondré en aprieto en todas partes, con naves y con infantería, con todas mis fuerzas.

DICEÓPOLIS. Y yo doy un pregón a los peloponesios todos y a los megarenses y a los beocios para que vendan y abran su mercado a mí, pero no a Lámaco.

CORIFEO.

Este hombre es vencedor en el debate y logra convencer al pueblo
sobre la paz. Ea, desnudémonos[125] y ataquemos los anapestos.

(*El* CORO *se quita los capotes.* DICEÓPOLIS *entra en su casa.*)

Desde que dirige un coro cómico, nuestro maestro
todavía no compareció ante el público para decir que es hombre inteligente;
pero calumniado por sus enemigos ante los atenienses siempre irreflexivos
de que satiriza a nuestra ciudad y ultraja al pueblo,
precisa contestar ahora ante los atenienses tornadizos.

---

[121] Nombres parlantes de los carboneros de Acarnas.

[122] Probablemente un Megacles, de la familia de los Alcmeónidas, en la que entró por matrimonio con Cesira de Eretria.

[123] Cuotas a asociaciones o contribuciones a banquetes que no habían pagado.

[124] Se refiere a la advertencia de los que vertían en la calle, desde sus ventanas, aguas sucias.

[125] El coro se quita la capa como un luchador. Quizá también la máscara: ahora recita la parábasis (los anapestos), habla en nombre del poeta.

[51]

El poeta afirma que es causante para vosotros de muchos
  beneficios,
haciendo que dejarais de ser engañados por demás con palabras peregrinas
y de sentir placer ante los aduladores y ser papanopo-
  litas.
Antes, los embajadores que venían de las ciudades os engañaban,
llamándoos primero «coronados de violetas»[126]; y en cuanto uno decía esto,
al punto por las coronas os sentabais sobre la punta del cu-
  lito.
Y si alguien, por daros coba, llamaba «reluciente» a Atenas
  conseguía cualquier cosa por el «reluciente», tras atri-
  buiros un honor adecuado a las sardinas.
Al hacer esto, ha sido causa de muchos beneficios,
mostrándoos también cómo los pueblos de las ciudades
  aliadas son gobernados por el pueblo[127].
Por eso ahora los que os traen el tributo de las ciudades
  vendrán ansiosos de ver al excelente poeta
que se arriesgó a decir lo justo ante los atenienses.
Tan lejos ha llegado la fama de su audacia
que el Rey, interrogando a los embajadores de los lacedemonios[128],
les preguntó, lo primero, cuál de las dos ciudades es superior por su marina;
y luego, a cuál de las dos este poeta ha hecho muchos re-
  proches:
pues aseguró que estos hombres se habían hecho mucho
  mejores
y que iban a triunfar con mucho en la guerra teniéndolo
  por consejero.
Por eso los lacedemonios os proponen la paz

---

[126] Epíteto poético de Atenas.
[127] Doble sentido: «son gobernadas democraticamente» y «son gobernadas
por el pueblo (de Atenas)». Es lo que mostraban *Los Babilonios* y no gustó a
Cleón.
[128] Enviados para servirle su ayuda en la guerra.

y reclaman Egina. y de aquella Isla
no se preocupan, pero es que quieren quitaros a este
    poeta[129].
No dejéis que se lo lleven, pues en sus comedias dirá lo que
    es justo.
Asegura que os enseñará muchas cosas buenas, haciéndoos
    felices,
no adulándoos ni ofreciéndoos pagas ni engatusándoos,
ni trampeando ni regándoos con elogios, sino enseñán-
    doos lo mejor.
    Ante esto, que Cleón se las ingenie
    y trame todo contra mí.
    Pues que contigo el bien y lo que es justo
    se aliarán y no van a cogerme
    siendo cual él para esta ciudad nuestra
        cobarde y maricón.

Estrofa.

Coro.

    Ven, valerosa Musa acárnica
    ardiente, con alma de fuego.
    Cual chispa del carbón de encina
    salta ante el soplo favorable
    cuando está al lado el pescadito,
    el tasio espléndido otros baten,
    otros amasan; ven así
    fuerte, robusta, canción rústica
    a mí este tu paisano[130].

---

[129] Egina, sometida al pago de tributo a Atenas, fue ocupada por ésta, que
expulsó a sus habitantes y envió colonos, al comenzar la guerra el 431. Esparta pedía, naturalmente, su libertad. No es clara la relación de Aristófanes
con Egina: parece que tenía allí propiedades desde antes del 431, las cuales
quedarían al arbitrio de Esparta.
[130] La comparación es con un fuego que es avivado mientras esperan para
ser fritos los pescaditos que antes han de bañarse en el adobo tasio, otros en
tanto hacen tortas.

CORIFEO 1.

Nosotros, los viejos de antaño, nos quejamos de la ciudad
pues no es en forma digna de nuestra batalla naval[131]
como somos atendidos en nuestra vejez, sino que sufrimos
    atropellos,
porque metiendo en pleitos a hombres ya viejos
dejáis que nos hagan burla unos oradores jovencitos:
a nosotros que ya no somos nada, sordos y con una voz
    como de flauta, gastados,
gente para la que el bastón es su Posidón Seguro[132].
Balbuciendo por la edad, nos quedamos de pie junto a la
    piedra[133],
no viendo otra cosa sino de la Justicia... la oscuridad.
Y el joven que ha conseguido ser acusador[134]
nos golpea rápidamente, alcanzándoos con sus palabras
    como puños.
Luego, arrastrándonos [135] nos interroga, poniendo trampas
    de palabras,
despedazando a un Titono[136], torturándolo y atormentán-
    dolo.
Y él por la edad balbucea y sale condenado;
luego solloza y llora y dice a sus amigos:
«Con lo que tenía para comprarme el ataúd, esta es la mul-
    ta que me han puesto.»

Antístrofa.

    ¿Cómo es justo que a un viejo canoso
    arruinen junto a la clepsidra[137],

---

[131] La de Salamina.
[132] Sólo el bastón es su seguridad. «Seguro» es un epíteto de Posidón.
[133] La mesa de piedra en que se contaban los votos.
[134] Acusador o fiscal del estado en algún proceso público.
[135] A la tribuna.
[136] Viejo como Titono, el marido de la Aurora, a quien Zeus concedió
vida pero no juventud eterna.
[137] El reloj de agua con que se medían las intervenciones de los oradores.

tras tantas fatigas, ardiente
sudor tras haber enjugado,
bravo guerrero en Maratón?
Allí éramos perseguidores,
ahora por los males somos
los perseguidos y alcanzados.
    ¿Qué Marpsias[138] va a objetarme?

CORIFEO 2.

¿Para quién es justo que un hombre ya encorvado, de la
    edad de Tucídides[139],
perezca luchando a brazo partido con la estepa de Esci-
    tia[140],
y ese hijo de Cefisodemo, ese abogado[141] charlatán?
Yo le tuve piedad y me enjugué una lágrima al ver
a un anciano acosado por un arquero[142]:
un hombre que, por Deméter, cuando era de verdad Tucí-
    dides
no habría fácilmente aguantado a la propia «Doloro-
    sa»[143],
sino que primero habría derribado en el pugilato a diez
    Evatlos
y habría derribado a gritos a otros mil arqueros
y habría superado con el arco a los parientes de su padre.
Pero ya que no dejáis que los viejos concilien el sueño,
decretad que los pleitos sean por separado,
para que para el viejo el acusador sea viejo y desdentado
y para los jóvenes maricón, charlatán y el de Clinias[144].

---

138 Un orador picapleitos. Es probablemente un mote, «el tragón».
139 El hijo de Melesias, rival de Pericles, ostraquizado el 443. Era un gran
atleta. A su vuelta perdió un pleito ante un tal Evatlo, al que aquí se alude
como hijo de Cefisodoro, seguramente.
140 La estepa de Ucrania (alusión a la extranjería del acusador).
141 O fiscal del estado, como más arriba.
142 Un arquero escita como el del comienzo de la obra; es decir, un extranjero.
143 Deméter. El sentido no está claro.
144 Alcibíades.

En adelante es preciso desterrar y multar, si es acusado, al viejo mediante el viejo y al joven mediante el joven.

(Sale DICEÓPOLIS: *coge piedras y señala con ellas un espacio fuera de su casa.)*

DICEÓPOLIS. Estos son los límites de mi mercado. Aquí está permitido mercadear a todos los peloponesios, a los megarenses y a los beocios, con la condición de que me vendan a mí, pero a Lámaco no. Nombro inspectores de mi mercado[145] a los tres que han salido a suerte, a estas tres correas de Despellejos[146]. Que no entre aquí ningún sicofanta ni ningún individuo del Fasis[147]. Voy a buscar la estela con la inscripción de mi juramento, para plantarla bien visible en la plaza del mercado.

(Se mete en su casa. Entra en escena un MEGARENSE *con sus dos HI-JAS pequeñas. Habla en su dialecto.)*

MEGARENSE. Plaza del mercado de Atenas, te saludo. Te añoraba, por el Amistoso[148], como a una madre. Pero, «oh pobres niñas de un padre desgraciado»[149], id a por las galletas, si es que las encontráis. Escuchadme: prestadme vuestro... vientre. ¿Preferís ser vendidas o reventar de hambre?

HIJAS. Ser vendidas, ser vendidas.

MEGARENSE. También yo estoy de acuerdo. Pero, ¿quién va a ser tan necio como para compraros, si sois una desgracia manifiesta? Sin embargo, tengo un truco megárico[150]: os disfrazaré de lechones[151] y diré que os traigo a vender. Po-

---

[145] Como los del mercado de Atenas.

[146] En griego Lepras, un demo del Ática inventado por el poeta por la supuesta etimología.

[147] Río de Asia menor que desemboca en el Mar Negro. En griego suena a «denuncia».

[148] Zeus.

[149] Parodia del *Áyax* de Sófocles.

[150] Es decir, basto, grosero (con alusión a farsas megáricas de tipo obsceno y grosero).

[151] La palabra griega se usaba también para «coño», de ahí los equívocos en la escena que sigue.

[56]

neos estas peñuzas de lechoncitos para que parezcáis hijas de una noble cerda; porque, por Hermes, si volvéis a casa sin ser vendidas, probaréis muy malamente el hambre. Pero poneos también estos hociquitos y después meteos ya aquí, en el saco. (*Así lo hacen.*) Gruñid y haced «coï, coï» y chillad como los lechones de los misterios[152]. Yo voy a hacer un pregón llamando a Diceópolis, a ver dónde está.

Diceópolis, ¿quieres comprar lechones?

DICEÓPOLIS. (*Saliendo de su casa.*) ¿Qué? ¿Un megarense?

MEGARENSE. Hemos venido al mercado.

DICEÓPOLIS. ¿Cómo estáis?

MEGARENSE. Pasamos hambre sin parar junto al fuego.

DICEÓPOLIS. Eso es agradable, si hay a mano una flauta. ¿Y qué más hacéis ahora los megarenses?

MEGARENSE. Poca cosa. Cuando salí de allí, los consejeros[153] estaban negociando para la ciudad la forma en que más pronto y peor fuéramos al desastre.

DICEÓPOLIS. Entonces, pronto van a acabar vuestros problemas.

MEGARENSE. ¿Cómo no?

DICEÓPOLIS. ¿Y qué hay de nuevo por Mégara? ¿A cómo se vende el trigo?

MEGARENSE. Es muy apreciado, igual que los dioses.

DICEÓPOLIS. ¿Traes sal?

MEGARENSE. ¿No sois sus dueños vosotros?[154].

DICEÓPOLIS. ¿Tampoco ajos?

MEGARENSE. ¿Qué ajos? Cada vez que nos invadís, igual que ratones de campo desenterráis las cabezas con una estaca.

DICEÓPOLIS. Entonces, ¿qué traes?

MEGARENSE. Cerditas de los misterios.

DICEÓPOLIS. Bien dices. Enséñamelas.

MEGARENSE. Son guapas, de verdad. Mete la mano si quieres.

---

[152] Se sacrificaban lechones en los misterios de Deméter y, en general, en las fiestas de esta diosa. Al tiempo, el cerdo es un producto típico de Mégara.

[153] Un comité de notables que debía examinar las propuestas antes de enviarlas a la Asamblea.

[154] Los atenienses, desde la isla Minoa, hostilizaban la región de Nisea, donde estaban las salinas.

(Diceópolis *saca del saco a una de las niñas.*) ¡Qué gorda y qué guapa!

Diceópolis. Pero, ¿qué es esto?

Megarense. Por Zeus, una cerdita.

Diceópolis. ¿Qué estás diciendo? ¿De dónde es esta cerdita?

Megarense. De Mégara. ¿O no es una cerdita?

Diceópolis. No me lo parece.

Megarense. (*Al público.*) ¿No es tremendo? Mirad qué desconfianza la de este individuo: dice que no es una cerdita. (*A* Diceópolis.) Pero vamos, si quieres, apuesta conmigo una medida de sal con tomillo a que no es una cerdita «a la manera griega»[155].

Diceópolis. Pero es de un ser humano.

Megarense. Sí, por Diocles[156], es mía. ¿Pues de quién crees que son? ¿Quieres oírlas chillar?

Diceópolis. Sí, por los dioses.

Megarense. Chilla rápida, lechoncita. ¿No quieres? ¿Te callas, maldita? Voy a volver a llevarte a casa, por Hermes.

Niña. Coï, coï.

Megarense. ¿Es o no una lechoncita?

Diceópolis. Ahora es una lechoncita, pero cuando se críe, será un coño.

Megarense. En cinco años, sábelo bien, se parecerá a su madre.

Diceópolis. Ésta no puede ser sacrificada[157].

Megarense. ¿Por qué? ¿Por qué no puede ser sacrificada?

Diceópolis. No tiene cola.

Megarense. Es que es jovencita; pero cuando se haga grande, tendrá una grande, gorda y roja[158]. (*Saca a la segunda* niña.) Pero si quieres criarla, esta es una hermosa cerdita.

Diceópolis. ¡Qué hermano es su coño del de la otra!

Megarense. Es de la misma madre y del mismo padre. Si en-

---

[155] Parodia trágica. Recuérdese el doble sentido del término.

[156] Un héroe megarense.

[157] Para que un animal pudiera ser sacrificado, no debía tener ningún defecto.

[158] «Cola» es también «pene». Cuando la cerdita crezca, tendrá amantes.

gorda y se cubre de pelos, será una hermosa cerdita para sa-
crificarla a Afrodita.

DICEÓPOLIS. La cerdita no se sacrifica a Afrodita.

MEGARENSE. ¿Que la cerdita no a Afrodita? A ella sola entre
las diosas. Y la carne de estas cerditas resulta muy sabrosa
espetada en el asador[159].

DICEÓPOLIS. ¿Y comen ya sin su madre?

MEGARENSE. Sí, por Posidón. Y sin su padre.

DICEÓPOLIS. ¿Y qué come mejor?

MEGARENSE. Todo lo que le des. Pregunta tú mismo.

DICEÓPOLIS. ¡Gorri, gorri!

HIJA 1.ª. ¡Coï, coï!

DICEÓPOLIS. ¿Coméis garbanzos?[160].

HIJA 1.ª. ¡Coï, coï!

DICEÓPOLIS. ¿Y qué más? ¿Higos de Fibalis?[161].

HIJA 1.ª. ¡Coï, coï!

DICEÓPOLIS. ¿Y tú qué? ¿Los comerías?[162].

HIJA 2.ª. ¡Coï, coï!

DICEÓPOLIS. ¡Qué fuerte han gruñido las dos ante los higos!
Que uno saque de dentro higos secos para las cerditas. (Un
esclavo los trae y se los echa.) ¿Se los comerán? ¡Huy! ¡Cómo se
los roen, muy venerable Heracles! Parecen de Traga-
sea[163].

MEGARENSE. (Cogiendo un higo.) No se los han tragado todos;
yo he cogido éste. (Se lo come ávidamente.)

DICEÓPOLIS. Por Zeus, son graciosos los dos animalitos. ¿Por
cuánto te compro las lechoncitas? Dímelo.

MEGARENSE. Esta primera, por una ristra de ajos y la otra, si
quieres, por una quénice[164] de sal.

DICEÓPOLIS. Te las compraré. Espera. (Entra en su casa.)

MEGARENSE. De acuerdo. Oh Hermes Comercial, ¡ojalá ven-

---

159 En el pene.

160 Se refiere al glande. También es «higo», más abajo.

161 Probablemente, higos secos. Fibalis es un lugar no localizado.

162 Aquí sigo el texto de E. Rodríguez.

163 Topónimo inventado.

164 Poco más de un litro. El megarense tiene que comprar ajos y sal, productos típicos de Mégara, a cambio de sus hijas.

da yo así a mi mujer y a mi propia madre! *(Mete a las* NIÑAS *en el saco.)*

(Entra el SICOFANTA, *que se dirige al* MEGARENSE.)*

SICOFANTA. ¿Tú, de dónde eres?

MEGARENSE. De Mégara, tratante en cerdos.

SICOFANTA. Denuncio a estos cerditos como enemigos y también a ti.

MEGARENSE. Lo de siempre: «de nuevo aquí ha venido lo que fue el origen de nuestros males»[165].

SICOFANTA. Llorando vas a megarear[166]. ¿No soltarás el saco? *(Trata de quitárselo.)*

MEGARENSE. ¡Diceópolis, Diceópolis! ¡Que me denuncian!

DICEÓPOLIS. ¿Quién? ¿Quién es el que te denuncia? *(Cogiendo las correas y dirigiéndose a ellas.)* ¡Inspectores del mercado! ¿No vais a echar fuera a los sicofantas? ¿Qué te ha pasado que sacas cosas a la luz sin una mecha?[167].

SICOFANTA. ¿No voy a mostrar en público a los enemigos?

MEGARENSE. Lo harás llorando, si no vas a hacer el sicofanta a otra parte.

(Lo persigue con las correas. El SICOFANTA *huye.)*

MEGARENSE. ¡Qué plaga ésta, aquí en Atenas!

DICEÓPOLIS. Tranquilidad, megárico: el precio por el que vendiste a la cerdita tómalo, estos ajos y la sal. Y diviértete mucho.

MEGARENSE. No es costumbre local.

DICEÓPOLIS. Ha sido una oficiosidad. Que caiga sobre mi cabeza.

MEGARENSE. Cerditas mías, procurad, aunque sea sin vuestro padre, apretar contra la sal vuestra torta, si alguien os la da[168].

---

[165] Verso trágico.
[166] Hablar en megarense y vender cerdos.
[167] El verbo griego significa «denunciar» e «iluminar».
[168] Sin duda obsceno. Era usual comer la torta con sal de esta manera.

¡Afortunado el individuo!
     ¿No oíste a dónde llega
la intriga ésta de su plan?
     Cosechará este tipo
sentado así en el mercado;
y si algún Ctesias[169] entra en él
o algún otro sicofanta
     va a sentarse llorando.

ningún individuo, colándose,
     va a fastidiarte en nada,
ni Prepis[170] va a limpiarse en ti
     su mariconería.
Ni va a atropellarte Cleónimo[171]:
irás con tu capa brillante
y no te toparás a Hipérbolo[172]
     que te llene de pleitos.

Ni encontrarás en tu mercado
     y vendrá a ti acercándose
Cratino[173] pelado a la adúltera,
     siempre con su navaja:
ese Artemón[174] tan malvado,
atropellado con su música,
oliendo mal a los sobacos
     de su padre Caprino.

---

169 Seguramente un nombre inventado, la raíz es «adquirir».
170 Quizá un Prepis que fue secretario de la primera pritanía el año 421/420.
171 En el sentido de los prítanis que se atropellaban para entrar los primeros en la asamblea, al comienzo de la obra. Sobre Cleónimo, cfr. nota 24.
172 Político radical amigo de Cleón.
173 El poeta cómico rival de Aristófanes, a quien éste satiriza siempre como libertino y sucio.
174 Homosexual satirizado por Anacreonte en versos famosos. Aristófanes hace a Cratino un equivalente de él.

Ni va a burlarse más de ti
   el maldito de Pausón[175]
en el mercado ni Lisístrato,
   ultraje de Colargo[176],
el hombre anclado en vicios,
lleno de frío y de hambre siempre
durante más de treinta días
   dentro de cada mes.

(*Entran el* TEBANO, *unos flautistas y el criado* ISMENIAS, *cargado con fardos de vituallas. El* TEBANO *habla en su dialecto.*)

TEBANO. Sépalo Heracles, he sufrido malamente en el callo del hombro. Tú, Ismenias, deja el poleo en el suelo con cuidado. Y vosotros, los flautistas que venís conmigo de Tebas, tocad con las flautas de hueso el culo de un perro[177]. (*Los flautistas tocan estruendosamente.*)

DICEÓPOLIS. Calla ya. ¡A los cuervos! Avispas, ¿no os iréis de mi puerta? ¿De dónde han venido a mi puerta esos zumbaflautas de la especie de Queris?[178].

TEBANO. Por Iolao[179], muchas gracias, extranjero. Porque soplando detrás de mí desde Tebas han esparcido por todas partes las flores del poleo. Pero si quieres, compra algo de lo que traigo, aves o cuadrualados.

DICEÓPOLIS. ¡Salud, beocillo zampabollos! ¿Qué traes?

TEBANO. Todas las maravillas de Beocia: orégano, poleo, esteras, mechas, patos, chovas, francolines, gallinetas, reyezuelos, somormujos...

DICEÓPOLIS. Has venido al mercado como un viento de aves[180].

---

[175] Otro personaje satirizado por Aristófanes, igual que Lisístrato.

[176] Su demo natal en Acarnas, que también lo era de Pericles.

[177] Suele entenderse que es el nombre popular de una tonada o sus palabras iniciales. También se ha propuesto que se trate de una gaita de piel de perro con embocadura de hueso.

[178] Un mal flautista, véase nota 8. El tebano trae lo necesario para un banquete: el pescado, el poleo como condimento, los flautistas.

[179] Compañero de Heracles, un héroe tebano como es sabido.

[180] Un viento del norte que empuja las aves emigrantes hacia el sur.

MEGARENSE. También traigo ocas, liebres, zorras, topos, erizos, gatos, tejones, martas, nutrias, anguilas del Copais[181].

DICEÓPOLIS. ¡Oh tú que traes el bocado más deleitable para los hombres, déjame saludar, si las traes, a las anguilas![182].

TEBANO. (*Cogiendo una anguila.*) ¡Oh mayorazga de las cincuenta doncellas copaidas, sal de ahí y sé amable con el extranjero!

DICEÓPOLIS. ¡Oh tú la más amada y echada de menos de antaño, viniste añorada por los coros de comedia, amada por Mórico![183]. Servidores, sacadme aquí el hornillo y el soplillo. (*Se los trae un esclavo, salen también de la casa los hijos de DI-*CEÓPOLIS.) Contemplad, hijos, a la excelente anguila que ha llegado, añorada, después de cinco años. Saludadla, hijos míos: yo os daré carbón en gracia a esta extranjera. (*Cambia de opinión. A un esclavo.*) «Métela en casa: ni muriendo esté yo sin ti»[184] cuando te cuezan en acelgas.

(*El esclavo se lleva las anguilas, también los hijos entran en casa. Quedan los fardos en el suelo.*)

TEBANO. ¿Y qué precio recibiré por ésta?

DICEÓPOLIS. Ésta me la darás como derechos del mercado. Pero si vendes algunas de estas otras provisiones, dímelo.

TEBANO. Lo vendo todo.

DICEÓPOLIS. Dime, ¿Cuánto pides? ¿O vas a llevarte de aquí otras mercancías?

TEBANO. Lo que haya en Atenas y en Beocia no.

DICEÓPOLIS. ¿Quieres llevarte, sin duda, boquerones del Falero o cacharros de barro?

TEBANO. ¿Boquerones o cacharros? Los hay allí también. No, algo que allí no hay y aquí hay en abundancia.

---

[181] Algunas de estas traducciones son dudosas. Las anguilas del lago Copais eran muy apreciadas por los *gourmets* de Atenas.

[182] Parodia de tragedia esto y lo que sigue: imita un reencuentro o anagnórisis.

[183] Famoso glotón.

[184] Parodia de la *Alcestis* de Eurípides.

DICEÓPOLIS. Ya lo sé: llévate un sicofanta tras empaquetarlo como cacharros de barro.

TEBANO. Sí, por los dos dioses[185], voy a ganar mucho dinero si lo llevo, como si fuera un mono lleno de mucha malicia.

DICEÓPOLIS. Pues mira, aquí está Nicarco a ver si denuncia a alguien.

TEBANO. Es pequeñito.

DICEÓPOLIS. Pero pura maldad.

NICARCO. ¿De quién son estos fardos?

TEBANO. Míos, de Tebas, por Zeus.

NICARCO. Entonces, los denuncio como enemigos.

TEBANO. ¿Qué daño has sufrido para declarar guerra y batalla a unos alígeros?

NICARCO. También a ti te denunciaré, además de a éstos.

TEBANO. ¿Qué agravio te he hecho?

NICARCO. Te lo diré por atención a los presentes. Importas una mecha de un país enemigo.

DICEÓPOLIS. ¿Y presentas denuncia por una mecha?

NICARCO. Puede incendiar el arsenal.

DICEÓPOLIS. ¿El arsenal una mecha?

NICARCO. Así lo creo.

DICEÓPOLIS. ¿Y cómo?

NICARCO. Metiéndola un beocio en una caña, tras prenderle fuego, podría enviarla al arsenal por una conducción de agua, coincidiendo con un fuerte viento Bóreas. Una vez que el fuego alcanzara a las naves, arderían al momento.

TEBANO. Maldito, ¿arderían por una caña y una mecha?

NICARCO. Doy fe de ello.

DICEÓPOLIS. (Al TEBANO.) Tápale la boca. Dame paja, a fin de atarlo y transportarlo como cacharros, para que no se rompa en el transporte.

(*Comienzan a atarlo y embalarlo en paja, con ayuda del* CORO. *En tanto, cantan éste y* DICEÓPOLIS.)

---

185 Anfión y Zeto, fundadores de Tebas.

Estrofa

CORO.

Ata al extranjero, amigo,
la mercancía muy bien.
    Haz de modo
que no la rompa al llevarla.
DICEÓPOLIS.
    De ello yo me cuidaré
    porque suena a charla vana
        y a cascado
    y a enemigo de los dioses.
CORO.
    ¿Qué es lo que va a hacer con esto?
DICEÓPOLIS.
    Será una buena vasija,
    cratera de males, mortero
    de pleitos, candil que alumbra
        a cesados
    copa a debatir problemas[186].

Antístrofa.

CORO.

    ¿Cómo podrá uno fiarse
    si usa una tal vasija
        en su casa,
    una que hace tanto ruido?
DICEÓPOLIS.
    Es muy robusta, querido,
    y nunca se romperá,
        de los pies

---

[186] Habla de distintas vasijas: un cráter (o cratera) para mezclar males en vez de agua y vino; mortero para machacar... pleitos; candil o lucerna para alumbrar (denunciar) a los magistrados que rinden cuentas al final de su

si cuelga cabeza abajo.

Coro.

Ya está bien empaquetado.

Tebano.

Voy a cosechar ganancias.

Coro.

Cosecha, extranjero querido,
y tíralo donde quieras,
    pues te llevas
sicofanta para todo.

Diceópolis. Con trabajo empaqueté a ese maldito. (*A* Ismenias.) Coge los cacharros y cárgatelos, beocio.

Tebano. Acércate y agacha el hombro, Ismeniquillo.

Diceópolis. (*A* Ismenias.) Llévalo con cuidado. Vas a transportar una mercancía nada sana, pero de todos modos. (*Al*
Tebano.) Y si ganas algo por llevarte esta carga, serás feliz,
al menos por lo que toca a sicofantas.

(*Los* tebanos *se van con el* sicofanta. Diceópolis *se dirige a
su casa, pero antes de que entre llega corriendo el* servidor *de* Lámaco.)

Servidor de Lámaco. ¡Diceópolis!

Diceópolis. ¿Qué pasa? ¿Por qué me llamas a voces?

Servidor. ¿Que por qué? Me encargó Lámaco que por esta
dracma le dieras parte de los tordos para los Jarros[187]; y por
tres dracmas encargó una anguila del Copais.

Diceópolis. ¿Qué Lámaco es ése de la anguila?

Servidor. El terrible, el formidable, el que blande la Gorgona «tremolando tres penachos umbrosos»[188].

Diceópolis. No, por Zeus, aunque me diera el escudo; que

---

mandato; copa para remover los ingredientes de una bebida, que aquí son los
problemas de la ciudad.

[187] Segundo día de la fiesta de las Antesterias. En él había concurso de be-
bedores, como el que se celebra al final de esta comedia.

[188] Parodia trágica.

tremole sus penachos en busca de salazón[189]. Y si arma es-
cándalo, llamo a los inspectores del mercado. *(Le amenaza
con las correas. El* SERVIDOR *huye.)* Yo voy a coger para mí
este fardo y entro en casa bajo alas de tordos y de mirlos[190].
(Entra en casa.)

Estrofa.

CORO.

> ¿Has visto, ciudad toda, a ese varón,
> prudente y supersabio,
> qué mercancías tras hacer la paz
> tiene para hacer trueques,
> unas para la casa
> útiles, otras deben
> ser comidas calientes?

CORIFEO 1.

> A éste todas las cosas buenas se le dan espontáneas.
> Jamás en mi casa acogeré al dios Guerra[191]
> ni junto a mí entonará el Harmodio[192]
> recostado a mi lado, porque es un borracho;
> vino de juerga contra gente que teníamos toda clase de
>   bienes
> y nos hizo toda clase de males: derribaba, vertía,
> reñía y si se le pedía muchas veces
> «Ven, échate en el lecho, bebe esta copa de amistad»,
> quemaba aún más los rodrigones
> y vertía, en su violencia, el vino de las viñas.

---

[189] Que asuste a las vendedoras de pescado en el mercado y se contente
con salazón.

[190] Parodia poética.

[191] Es masculino en griego, de ahí lo que sigue.

[192] Escolio o canción de banquete que celebraba a los tiranicidas Harmodio y Aristogitón.

Antístrofa.

CORO.

Para el banquete le han salido alas[193]
y rezuma ufanía;
y como muestra de su vida ha puesto
alas ante su puerta[194].
¡Oh de Cipris hermosa
y las Gracias queridas
amiga, Reconciliación!

CORIFEO 2.

No veíamos qué hermoso era tu rostro.
¿Cómo podría unirnos a ti y a mí un Eros
como ese que pintaron con corona de flores?[195].
¿O me has creído demasiado viejo?
Si te cogiera, creo que te daría tres asaltos[196]:
primero abriría un largo surco de vides nuevas,
luego junto a éste plantaría tiernos retoños de higuera,
lo tercero, brotes de viña cultivada;
y en torno a todo el campo, olivos en círculo
para que tú y yo pudiéramos ungirnos con su aceite en las
    fiestas del novilunio[197].

(*Entra un* HERALDO.)

HERALDO. Oíd, ciudadanos: según el uso, los Jarros bebed al

---

[193] Son las alas de las aves que lleva encima Diceópolis; pero la palabra tiene también el sentido figurado de «estar animado» o «deseoso».

[194] Como el que hace un gran sacrificio coloca los despojos a su puerta.

[195] Alude a una pintura de Zeus en el templo de Afrodita en Atenas, según un escolio.

[196] Lo que sigue contiene alusiones sexuales, al tiempo que describe la reanudación de las labores del campo tras la paz.

[197] En el primero de mes. En las fiestas era costumbre ungirse con aceite perfumado.

son de la trompeta; el que apure primero su bebida, como
premio recibirá el odre de Ctesifonte[198].

(*Se saca a escena una plataforma rodante en la que van* Diceópolis, *dos esclavos, vituallas, útiles de cocina y un hornillo.*)

Diceópolis. Mujeres y niños, ¿no oísteis? ¿Qué hacéis? ¿No
oís al heraldo? Hervid, coced bien, dad vueltas en el asador, sacad de él la carne de liebre deprisa, trenzad las coronas. Trae los asadores para espetar los tordos.

Estrofa.

Coro.

Te envidio por tu sapiencia
pero más por el festín
    que preparas, tío.
Diceópolis.
    ¿Y qué, cuando tú los tordos
        asándose veas?
Coro.
    Te doy la razón en esto.
Diceópolis.
    Atiza el fuego.
Coro.
    ¿Ves qué cocinerilmente
fina y festivamente
    se sirve a sí mismo?

(*Entra corriendo un* labrador.)

Labrador. ¡Desdichado de mí!
Diceópolis. ¿Quién es éste, por Heracles?
Labrador. Un hombre desdichado.

---

[198] El vencedor recibiría un odre de vino. El odre de Ctesifonte es el hecho del pellejo de un individuo exageradamente gordo (¿o un gran be-
bedor?).

DICEÓPOLIS. Sigue tu camino entonces[199].

LABRADOR. Queridísimo, es que sólo para ti hay paz. Mídeme un poco de ella, por cinco años aunque sea.

DICEÓPOLIS. ¿Qué te ocurrió?

LABRADOR. He quedado deshecho perdiendo mis bueyes.

DICEÓPOLIS. ¿Dónde?

LABRADOR. De Fila me los quitaron los beocios[200].

DICEÓPOLIS. ¡Tres veces desdichado! ¿Y todavía vistes de blanco?[201].

LABRADOR. Y son los que me mantenían entre puras boñigas[202].

DICEÓPOLIS. Pero ¿qué es lo que quieres?

LABRADOR. He arruinado mis ojos llorando por mis bueyes. Pero si algo te importa Dercetes[203] el de Fila, frótame rápido los ojos con ungüento de paz.

DICEÓPOLIS. Pero, infeliz, no soy médico público.

LABRADOR. Vamos, te lo suplico, por si así recobro mis bueyes.

DICEÓPOLIS. No es posible, llora a los de Pítalo[204].

LABRADOR. Échame siquiera una gotita de paz en esta cañita que traigo.

DICEÓPOLIS. Ni una gotirrinina: vete a llorar a otra parte. (*Vuelve a sus guisos.*)

LABRADOR. (*Yéndose.*) ¡Ay tres veces desdichado por mis bueyes labradores!

Antístrofa.

CORO.

Este hombre ha encontrado gusto
en su paz y no parece

---

[199] Es decir, no me contagies tu mala suerte.

[200] Un demo del Ática vecino de Beocia.

[201] Es decir, deberías vestirte de luto.

[202] Sorpresa cómica por «entre toda clase de bienes».

[203] Parece una broma, deriva de «ver». Pero es conocido un Dercetes de Fila a final de siglo.

[204] A los discípulos de un médico público citado otras veces.

[70]

que vaya a dar parte.

DICEÓPOLIS.

(*A un esclavo.*) Vierte miel en la morcilla,
ve asando las sepias.

CORO.

¿Oíste ya sus chillidos?

DICEÓPOLIS.

Coced las anguilas

CORO.

Vas a matarme de hambre
con mis vecinos, del humo
y de hablar así.

DICEÓPOLIS. Asad todo esto y doradlo bien.

(*Entran un* PADRINO *y una* MADRINA *de boda.*)

PADRINO. ¡Diceópolis!

DICEÓPOLIS. ¿Quién es éste? ¿Quién es éste?

PADRINO. Un novio te envía esta carne de su boda[205].

DICEÓPOLIS. Hizo bien, quienquiera que sea.

PADRINO. Y a cambio de la carne te pide que le eches en este frasco de ungüentos, para no ir a la guerra y quedarse jodiendo, tan sólo un cacillo de paz.

DICEÓPOLIS. Lleva, llévate tu carne, no me la des, no te lo echaría ni por mil dracmas. ¿Pero quién es ésta?

PADRINO. La madrina quiere decirte algo a ti solo, de parte de la novia.

DICEÓPOLIS. A ver, ¿qué dices? (*La* MADRINA *le habla al oído.*) ¡Qué divertida, oh dioses, es la petición de la novia, que me pide con insistencia: que se quede en casa la polla del marido! Tráeme la paz, voy a darle a ella sola porque es mujer e inocente de la guerra. (*Un esclavo trae el odre de la paz.*) Pon aquí debajo el frasco, mujer. (*Vierte vino del odre en el frasco.*) ¿Sabes cómo se hace? Dile a la novia esto: cuando alisten los soldados[206], que unte de noche con esto la polla

---

[205] Se ha celebrado ya, pero sigue hablándose de novio y novia.
[206] Para una expedición.

del marido. *(Se van los dos.* DICEÓPOLIS *se dirige a un esclavo.)*
Llévate la paz. Tráeme el cazo para sacar vino y echarlo en
los jarros.

CORIFEO. Aquí llega, con las cejas fruncidas[207], uno con aire
de anunciar algo terrible[208].

(Llega corriendo un MENSAJERO.)

MENSAJERO 1.º. ¡Ah fatigas, batallas y Lámacos!

(LÁMACO *abre la puerta de su casa.)*

LÁMACO. ¿Quién hace estrépito en torno a mi mansión que
adornan broncíneos bollones?[209].

MENSAJERO 1.º. Te ordenan los generales presentarte al instante llevando tus batallones y tus penachos; y luego, cu-
bierto de nieve, guardar los pasos fronterizos. Pues alguien
les anunció que por los Jarros y las Ollas[210] van a hacer una
incursión unos bandidos de Beocia.

DICEÓPOLIS. ¡Oh generales más numerosos que valientes!

LÁMACO. ¿No es terrible que yo no pueda ni celebrar la fiesta?

DICEÓPOLIS. ¡Oh ejército belicolamáquico!

LÁMACO. ¡Ay de mí desgraciado, me estás haciendo burla!

DICEÓPOLIS. ¿Quieres luchar con un Gerión de cuatro plumas?[211].

LÁMACO. ¡Ay, ay! ¡Qué noticia me trajo el heraldo!

(Llega el segundo MENSAJERO.)

DICEÓPOLIS. ¡Ay! ¿Qué viene a anunciarme este otro que llega a la carrera?

---

207 La máscara indica dolor.

208 Parodia de tragedia, como en toda la escena que sigue.

209 Posiblemente, la fachada está decorada con armas de bronce con bollones.

210 Tercer día de las Antesterias.

211 Nada claro: Diceópolis parece compararse a sí mismo con el monstruoso Gerión de tres cabezas. No se ve claro a qué se refiere. Pero quizá el
monstruoso Gerión es Lámaco y se le compara con una langosta «de cuatro
alas», como se ha propuesto.

MENSAJERO 2.º. ¡Diceópolis!

DICEÓPOLIS. ¿Qué pasa?

MENSAJERO 2.º. Ven rápido al banquete con tu cesta y tu jarro[212]. Te invita el sacerdote de Dioniso. Date prisa: hace
tiempo que retrasas la comida. Todo lo demás está preparado: lechos, mesas, cojines, tapetes, coronas, perfume, golosinas, ya han llegado las putas, galletas, pasteles, panes de
sésamo, dulces, bailarinas, el «Querido Harmodio, no...»,
bien guapas. Ven lo más de prisa que puedas.

LÁMACO. ¡Desdichado de mí!

DICEÓPOLIS. Para eso te pintaste la Gorgona bien grande. (A
un esclavo.) Cierra la puerta y que uno ponga mis provisiones en la cesta.

LÁMACO. Chico, chico, tráeme el macuto.

DICEÓPOLIS. Chico, chico, tráeme la cesta.

LÁMACO. Sácame sal con tomillo, chico, y cebollas.

DICEÓPOLIS. A mí unas rajas de pescado, las cebollas no me
gustan.

LÁMACO. Tráeme, chico, una hoja de higuera con escabeche
podrido.

DICEÓPOLIS. También a mí, chico, una hoja de higuera relle-
na; la coceré allí[213].

LÁMACO. Sácame aquí las dos plumas de mi casco.

DICEÓPOLIS. Y a mí los pichones y los tordos.

LÁMACO. Es hermosa y blanca la pluma del avestruz.

DICEÓPOLIS. Es hermosa y dorada la carne de los pichones.

LÁMACO. Deja, amigo, de burlarte de mis armas.

DICEÓPOLIS. Deja, amigo, de mirar a los tordos.

LÁMACO. Saca el estuche de los tres penachos.

DICEÓPOLIS. Y dame a mí un plato de tajadas de liebre.

LÁMACO. ¿Es que las polillas se han comido mis penachos?

DICEÓPOLIS. ¿Es que antes del banquete voy a comerme el
guiso?

LÁMACO. ¿Quieres, amigo, no dirigirme la palabra?

---

212 Los invitados ponen la comida y bebida y el que invita los aperitivos y
golosinas.

213 Llevaba una pasta de carne, huevos, leche y harina.

DICEÓPOLIS. No, es que el esclavo y yo discutimos hace rato. *(Al esclavo.)* ¿Quieres apostar y hacer árbitro a Lámaco de si saben mejor los saltamontes o los tordos?

LÁMACO. Te estás pasando.

DICEÓPOLIS. Dice que con mucho los saltamontes.

LÁMACO. Chico, chico, bájame la lanza y tráela aquí fuera.

DICEÓPOLIS. Chico, chico, bájame el embutido y sácalo fuera.

LÁMACO. Ea, voy a quitar la funda de mi lanza. Ten, sujeta, chico. *(Así hace el esclavo.* LÁMACO *saca la lanza.)*

DICEÓPOLIS. También tú, chico, sujeta esto. *(El esclavo sujeta un embutido,* DICEÓPOLIS *tira de él.)*

LÁMACO. Tráeme el caballete, chico, del escudo.

DICEÓPOLIS. *(Señalando a su vientre.)* Y saca tú los panes apoyo del mío.

LÁMACO. Trae aquí el círculo de mi escudo, de hombros de Gorgona.

DICEÓPOLIS. Y a mí el círculo de un pastel, de hombros de queso.

LÁMACO. ¿No es esto para todos una burla pesada?

DICEÓPOLIS. ¿No es esto para todos un pastel delicioso?

LÁMACO. Vierte, chico, el aceite. *(Frota con él el escudo.)* Veo en el bronce a un viejo que será acusado de cobarde.

DICEÓPOLIS. Y tú vierte la miel. *(El esclavo la echa en el pastel.)* Veo en el bronce un viejo que manda a paseo a Lámaco, el de Gorgaso[214].

LÁMACO. Sácame, chico, una coraza de guerra.

DICEÓPOLIS. Sácame a mí también, chico, como coraza el jarro.

LÁMACO. Con ésta me acorazaré contra los enemigos.

DICEÓPOLIS. Con ésta me acorazaré[215] contra los comensales.

LÁMACO. Ata, chico, las mantas al escudo.

DICEÓPOLIS. Ata, chico, mi comida a la cesta.

LÁMACO. Yo cogeré y me llevaré mi propio macuto.

DICEÓPOLIS. Yo voy a coger mi manto y a irme.

---

214 Nombre sacado de la Gorgona.
215 «Acorazarse» es «emborracharse».

LÁMACO. Coge el escudo y marcha con él, chico. Nieva. ¡Ay!
   La cosa está tempestuosa.
DICEÓPOLIS. Coge la comida. La cosa está banqueteosa.

(Cada uno sale por su lado.)

CORO.

> Poneos alegres en campaña.
> Lleváis caminos diferentes:
> el uno a beber coronado,
> Tú a tiritar en tu guardia
> y él a dormir
> con una bella jovencita
>   que le frote la cosa.

Estrofa.

> A ese escritor, Antímaco el de Psácade[216],
>   ese poeta lírico,
> para decirlo de una vez,
>   que Zeus le aniquile:
> corego en las Leneas, a mí el mísero
>   me dejó sin comer[217].
>   Véale yo una sepia
>   queriendo; y ella asándose
> chisporrotee y en la mesa atraque
> cual Páralo[218]; pero al echarle mano
>   se la arrebate un perro y huya.

Antístrofa.

> Véngale esta desgracia la primera,
>   otra luego en la noche.

---

[216] No sabemos qué Antímaco es. Los escolios dicen que Psácade («el Chaparrón») era llamado así porque echaba saliva al hablar.
[217] El corego, responsable de una representación, solía invitar al coro a un banquete.
[218] El trirreme del estado ateniense.

Cuando febril regrese a casa
   tras montar a caballo,
que le rompa borracho la cabeza
   algún Orestes loco[219];
   y una piedra en lo oscuro
   queriendo coger, coja
con su mano una plasta bien reciente;
y corra con el mármol, pero luego
   fallando el blanco, dé a Cratino.

(*Llega un tercer* MENSAJERO *y llama a la puerta de* LÁMACO.)

MENSAJERO 3.º

Servidores que estáis en la casa de Lámaco,
calentad agua, agua en una olla pequeña,
vendas de hilo, ungüento id preparando ya,
lana llena de grasa, hilas para el tobillo.
Pues le ha herido una estaca al saltar una zanja,
se rompió la cabeza dando contra una piedra,
despertó a la Gorgona, que saltó de su escudo.
Y de fanfavestruz al caer la gran pluma,
contra las rocas, triste canción así entonó:
«Ojo glorioso, te veo hoy por vez postrera,
abandono esta luz. Pues yo no existo ya.»
Diciendo estas palabras cae a un canal de riego:
se levanta y se topa con unos fugitivos
«persiguiendo a bandidos que ahuyenta con su lanza»[220].
Pero aquí está él mismo. Ábrele, pues, la puerta.

(*Entra* LÁMACO *herido, apoyado en dos soldados.*)

LÁMACO.
   ¡Atataí, atataí!

---

[219] Algún juerguista borracho, nombrado así por el hijo de Agamenón.
[220] Cita del *Télefo* de Eurípides que parece confirmar como auténticos los últimos versos, bastante incoherentes con lo anterior y atetizados a veces. Los fugitivos deben de ser desertores del propio Lámaco. Toda la escena es parodia de tragedia.

Odiosos son y horribles mis dolores. ¡Desdichado de mí!
estoy muriendo, herido por enemiga lanza. ¡Desdichado
   de mí!
Sería muy lamentable para mí
si Diceópolis me viera
      y se burlara de mis males.

(*Entra* Diceópolis *borracho, apoyado en dos bailarinas.*)

Diceópolis.
   ¡Qué tetitas, qué duras, cual membrillos!
   Besadme tiernamente, mis joyitas,
   la boca abierta y a tornillo.
   Que el jarro he bebido el primero.
Lámaco.
   ¡Suceso lamentable de mis males!
   ¡Ay, ay, qué heridas dolorosas!
Diceópolis.
   ¡Ay, ay, hola, Lamaquillo!
Lámaco.
   ¡Desgraciado de mí!
Diceópolis.
   (*A una bailarina.*) ¿Por qué me besas?
Lámaco.
   ¡Desdichado de mí!
Diceópolis.
   (*A la otra bailarina.*) ¿Por qué me muerdes?
Lámaco.
   ¡Desdichado de mí por este duro escote![221].
Diceópolis.
   ¿Es que alguien celebra el escote en los Jarros?
Lámaco.
   ¡Ay, ay! ¡Peán, Peán![222].
Diceópolis.
   No son hoy las Peonias[223].

---

[221] La palabra se usa en dos sentidos: «encuentro, combate» y «escote que se paga para un banquete».
[222] Invoca a Peán, dios médico.
[223] Fiesta de Peán.

LÁMACO.
Cogedme ya, cogedme por la pierna. ¡Ay!
Cogedme, mis amigos.
Siento vahídos, herido en la cabeza por la piedra
y giro en las tinieblas.

DICEÓPOLIS.
Y yo quiero dormir, la tengo tiesa
y tengo ganas de joder.

LÁMACO.
Sacadme fuera, a la casa de Pítalo
con manos sanadoras.

DICEÓPOLIS.
Llevadme ante los jueces[224]. ¿Dónde está el Rey?
Devolvedme mi odre. *(Se lo dan.)*

LÁMACO.
Una lanza maldita se me clavó a través del hueso. *(Se lo llevan.)*

DICEÓPOLIS.
(Tras beber.) Vedlo vacío. ¡Viva el glorioso vencedor![225]

CORIFEO.
¡Viva, ya que me invitas, viejo! ¡Viva el glorioso vencedor!

DICEÓPOLIS. Además, bebí vino puro y lo apuré de un trago[226].

CORIFEO. Viva, mi noble amigo: coge tu odre y marcha.

DICEÓPOLIS. Seguidme cantando: ¡viva el glorioso vencedor!

CORO.
Te seguiré, por darte gusto,
«Viva el glorioso vencedor»
cantándoos a ti y al odre.

(Salen todos.)

---

224 Del concurso cómico.

225 Comienzo del conocido himno de Arquíloco.

226 Como los tracios. Los griegos bebían vino mezclado con agua y no de un trago.

LOS CABALLEROS

INTRODUCCIÓN

E N las Leneas del año 424, muy joven todavía, Aristófanes presentó por primera vez una pieza cómica a su nombre, sin seudónimo: *Los Caballeros.* Logró el primer premio; el segundo fue para *Los Sátiros* de Cratino y el tercero para *Los Leñadores* de Aristómenes.

La pieza es nada menos que un ataque contra el famoso demagogo Cleón, que había intentado un proceso al poeta por *Los Babilonios,* del 426 (cuyas acusaciones de maltrato a los isleños repite el verso final de la nueva comedia); Aristófanes le había atacado también en *Los Acarnienses,* al tiempo que se defendía.

Pero Cleón sólo una vez, en el verso 976, es llamado por su nombre en *Los Caballeros;* a lo largo de la pieza es un esclavo paflagonio (de un pueblo del norte de Asia Menor), pues, nos dice el poeta, ninguno de los fabricantes de máscaras se atrevió a hacer una que se le asemejara. Es un esclavo de Pueblo *(Demos)* particularmente grosero y ladrón que le tiene, sin embargo, sorbido el seso con sus adulaciones. El nombre sugiere el verbo «hervir», por su violencia verbal.

El Paflagonio-Cleón pone en una situación peligrosa a los otros dos esclavos, no mencionados por su nombre, pero que son los generales Demóstenes (Servidor 1.º) y Nicias (Servidor 2.º).

Hay que conocer la historia griega de aquellos años para comprender la comedia. El mismo año 424 Cleón había logrado una gran victoria sobre los lacedemonios. Los generales Nicias y Demóstenes les habían conquistado Pilos, en la costa de Mesenia (oeste del Peloponeso); y ellos habían puesto una guarnición en la vecina isla de Esfacteria y habían enviado una flota para bloquear a los atenienses. Ahora bien, esa flota fue vencida por una flota ateniense y fueron los lacedemonios de Esfacteria los que quedaron bloqueados.

Sin embargo, Nicias y Demóstenes no osaban desembarcar en la isla, aunque el segundo tenía un plan para ello, nos dice Tucídides (VI, 27 y ss.). El que si lo hizo fue Cleón cuando, tras maltratar a los generales ante la Asamblea, hubo de aceptar (de muy mala gana) el ofrecimiento de Nicias de dejarle el puesto: aceptó y se trajo prisioneros a 120 espartanos, que languidecían en el momento de nuestra obra en la cárcel de Atenas.

Éste es el poderoso personaje, jefe del pueblo, al que Aristófanes ataca después de su gran victoria, que le valió el derecho a vivir en el pritaneo y la *proedría,* el sentarse en la primera fila del teatro. Rechazaba todas las propuestas de paz de Esparta y esperaba nada menos que su capitulación. Atenas hubo de esperar a que muriera poco después luchando con el espartano Brásidas para que se abriera el camino de la paz: la llamada paz de Nicias del 421.

Pero Aristófanes, cómicamente, imagina ya el 424 el derrocamiento de Cleón —su cargo era el de general— y la paz. Cleón representaba para él un tipo odioso. Rompía la tradición de que los jefes del pueblo procedían de la aristocracia. Era un rico curtidor, basto y gritador, con malos modales; adulaba al pueblo, al que favorecía con medidas demagógicas; era belicista e imperialista: aspiraba, como los ricos industriales y el ala radical de la democracia, a extender indefinidamente el poderío de Atenas.

Ello contra los consejos de Pericles, que no quería hacer conquistas nuevas durante la guerra y se contentaba con el mantenimiento del poderío de Atenas a través de la Liga Marítima. Algo que consiguió la paz de Nicias aunque, desgraciadamente, por poco tiempo. Pero la corrupción de Cleón, de que habla Aristófanes, no está testimoniada por la historia, su cobardía tampoco. El ataque apasionado sólo en parte es justo.

En la comedia el Paflagonio es hostilizado por el coro de

caballeros, jóvenes nobles que le detestan. Pero el coro juega poco papel en esta comedia, a pesar de darle el nombre. Este papel se agota prácticamente en la *párodos* en que el coro entra escoltando al Paflagonio (247 y ss.), en ataques verbales y exhortaciones (304 y ss., 973 y ss., 1111 y ss., etc.), así como en las dos parábasis (503 y ss., 1274 y ss.) y en encuadres de los *agones*. No hay intervención final del coro en un *como* de triunfo y con componentes eróticos, como es usual en la comedia.

Ha desarrollado, en cambio, grandemente Aristófanes otros elementos típicos de la comedia: el héroe cómico y el plan fantástico mediante el cual el primero obtiene el triunfo. El plan, fraguado en el prólogo por los dos esclavos, consiste precisamente en buscar a alguien que, al ser todavía más brutal y corrupto que Cleón, pueda derrotarle: el Morcillero Agorácrito, héroe de la pieza, a quien apoyan los caballeros.

El prólogo es típicamente aristofánico: hay en él los dos esclavos que charlan e intrigan al público sobre el tema de la pieza, el robo de los oráculos del Paflagonio (que sugieren la idea de acudir al Morcillero), la presentación de éste y su adoctrinamiento por el Servidor 1.º (Demóstenes), la aparición del Paflagonio amenazante.

Es entonces cuando llega, atacándole, el coro de caballeros: es la *párodos*. Pero, como queda dicho, no hay en esta comedia, prácticamente, *agones* de acción con intervención del coro, todo se reduce a una serie de *agones* verbales entre el Paflagonio y el Morcillero, con intervención a veces del coro y el Servidor 1.º. En ellos el Paflagonio siempre pierde, hasta la derrota final. El arte de Aristófanes consiste en alternar y variar estos *agones* (cambios de metro, estructura, temas) para evitar la monotonía: cosa que, la verdad, no siempre consigue. Tenemos los siguientes *agones:*

1.   Tras la entrada del coro (247 y ss) hay intercambio de intervenciones, llenas de amenazas, del Paflagonio de una parte y de otra del corifeo, el Servidor 1.º y el Morcillero; todo culmina en el enfrentamiento, con más amenazas, entre el Paflagonio y el Morcillero.

2.   Encuadrado por una estrofa y una antístrofa del coro

hay, a partir de 304 y ss., otro *agón* Paflagonio/Morcillero con intervenciones ocasionales del Servidor 1.º: todo queda en amenazas.

3. Tercer *agón,* encuadrado igualmente por una estrofa y una antístrofa del coro a partir del 382 y ss. El Paflagonio, acosado y golpeado, se decide a llevar su caso al Consejo, acusando a los «conjurados». Allí va también el Morcillero, despedido por el coro en 498-502.

4. Tras la primera parábasis llega el cuarto *agón* (624 y ss.). Pero se trata del relato del Morcillero, a la manera de los de los Mensajeros de la tragedia, sobre su triunfo en el Consejo, donde derrota al Paflagonio con sus bufonadas. El relato está enmarcado por una estrofa y una antístrofa del coro.

5. Pero llega también el Paflagonio y comienza (691 y ss.) el quinto *agón*. El Paflagonio, incapaz de vencer en groserías y brutalidades al Morcillero, propone llevar el caso al pueblo, esto es, a la Asamblea.

6. Aparece Pueblo (728) y, tras una introducción en que los contendientes se presentan, tiene lugar el *agón* (sexto) en la Asamblea, el más formal de todos. Consta de dos partes, introducida cada una por el coro y el corifeo; el tema principal son las adulaciones de ambos contendientes a Pueblo. Éste decreta la victoria del Morcillero, pero el Paflagonio consigue que la cosa se aplace hasta que pueda presentar sus oráculos; el Morcillero presentará a su vez los suyos.

7. Tras un interludio del coro (973 y ss.) tiene lugar (997 y ss.) el *agón* de oráculos, con las interpretaciones insidiosas del Morcillero y la adulación de ambos a Pueblo, que declara (997 y ss.) vencedor al Morcillero. Pero una vez más la decisión final se aplaza porque ambos personajes van a buscar comida para ofrecer a Pueblo un banquete.

8. Vienen luego un interludio con un diálogo lírico coro/Pueblo (1111 y ss.) y el *agón* octavo (1151 y ss.) en que el Paflagonio y el Morcillero compiten en saciar el estómago de Pueblo. Pero el Paflagonio (que antes ha robado al Morcillero) sorprende a éste haciendo trampa: se ha guardado en su cesto mucha comida. Es más, el Paflagonio descubre que el Morcillero responde a lo que profetizaba un oráculo que él se

[84]

reservaba, referente a un tipo grosero que lo destronaría. Pueblo quita la corona al Paflagonio y se la entrega al Morcillero, a quien confía su administración.

Con esto la pieza, en el verso 1263, está prácticamente acabada. Pero es un árbitro, Pueblo, el que otorga el triunfo al héroe cómico, no, como en otras comedias, el coro, que aquí era desde el comienzo del partido del Morcillero y tiene, como se ha dicho, escasa intervención.

Sólo queda, tras una segunda parábasis (1264 y ss.), el éxodo o escena final (1316 y ss.). No contiene, ya se ha dicho, un cortejo erótico ni una escena de comida (en realidad está ya antes), pero ejemplifica el triunfo del Morcillero y su programa político, así como la conversión de Pueblo: un cocimiento mágico le ha devuelto su propio ser, el de la antigua Atenas. Es un tema tradicional, recuérdese el final de *Las Avispas*. No era él el culpable de su tontería, que le hacía dejarse engañar (Aristófanes tiene que congraciarse con el público de Atenas).

Es un gran vencedor el Morcillero, ahora llamado Agorácrito, y su programa consiste en la restauración de las viejas virtudes de Atenas: hay un sensible cambio de tono, aunque no cesan las chocarrerías. Y aparece, al tiempo, el viejo tema cómico del mundo al revés: el Paflagonio irá a vender a las puertas de Atenas las sospechosas mercancías de Agorácrito, sus morcillas de carne de perro y de asno. Y aparece, desnuda y codiciable, la diosa Paz, siguiendo un modelo muy común al final de las comedias.

En cuanto a las dos parábasis, ya aludidas, sirven para articular la comedia y ofrecer un descanso entre los *agones* y el final de éstos: igual que ciertas intervenciones del coro.

La primera, que hace de entreacto mientras el Paflagonio y el Morcillero están en el Consejo (503 y ss.), es interesante sobre todo por la historia que hace del género cómico, justificando al poeta por no haberse presentado hasta ahora al concurso con su nombre. Elogia también a los antiguos atenienses y a los propios caballeros. La segunda (1264 y ss.) contiene algunos escarnios y un ataque contra la política belicista.

Los Caballeros es, en definitiva, una comedia fuertemente política y partidista, muy violenta, poco lírica. Bajo sus chocarrerías, sin duda excesivas a veces, oculta una gran seriedad, aunque el personalismo del ataque contra Cleón es evidente y no se puede tomar al pie de la letra todo lo que dice.

Una vez más hallamos tópicos banales sobre la corrupción de los políticos, junto con un ideal pacífico que une la añoranza de los viejos tiempos, de la vida campesina, con la proclamación del puro hedonismo. Aristófanes revela todo el vigor de su ingenio y su flexibilidad en el manejo de las estructuras y formas poéticas y de los temas. Aunque a ratos es en exceso repetitivo (hay nada menos que ocho *agones,* como hemos dicho) y virulento. Pero su enemigo estaba en la cumbre del éxito y Aristófanes insistía, más que nunca, para desacreditarle y recomendar su propia política de paz.

Comedia a veces amarga *Los Caballeros;* pero no se puede negar el ingenio del poeta ni su seriedad. Tampoco su valor.

PERSONAJES

Servidor 1.º, esclavo de Pueblo (Demóstenes)
Servidor 2.º, esclavo de Pueblo (Nicias)
Morcillero, por nombre Agorácrito
Paflagonio, esclavo de Pueblo (Cleón)
Pueblo

(En el centro de la escena está la casa de Demos, el PUEBLO. De ella sale primero el SERVIDOR 1.º con la máscara del general Demóstenes y luego el SERVIDOR 2.º con la de Nicias. Ambos se frotan costados y caderas, como si hubieran recibido una paliza.)

SERVIDOR 1.º. ¡Ay, ay, qué desgracia, ay, ay! Ojalá que al Paflagonio, a esa desgracia comprada últimamente, «lo arruinen los dioses malamente junto con sus designios»[1]. Pues desde que llegó a la casa siempre hace que nos caigan golpes a los servidores.

SERVIDOR 2.º. Malamente en verdad perezca el primero de los paflagonios, junto con sus calumnias.

SERVIDOR 1.º. *(Mirando a su compañero.)* ¿Cómo te va, desdichado?

SERVIDOR 2.º. Mal, como a ti.

SERVIDOR 1.º. Acércate, para que juntos lloremos un concierto de flauta, el *nomo* de Olimpo[2].

SERVIDOR 1.º y 2.º. Mumú, mumú, mumú, mumú, mumú, mumú.

SERVIDOR 1.º. ¿Por qué gemimos inútilmente? No deberíamos buscar alguna solución para nosotros y dejar de llorar?

SERVIDOR 2.º. ¿Y cuál podría ser?

SERVIDOR 1.º. Dila tú.

SERVIDOR 2.º. Dímela a mí tú, no quiero luchar.

---

[1] Parodia trágica.

[2] Personaje frigio del siglo VII a. C. a quien se atribuye un papel importante en el desarrollo de la música de flauta. El «nomo de Olimpo» era una pieza de pura música de flauta sin palabras, de tono lamentoso.

Servidor 1.º. Yo no, por Apolo. Habla con valor; luego te diré algo.

Servidor 2.º. No tengo el «vale»[3]. ¿Cómo diría yo algo elegante-euripideo? ¿Cómo dirías tú lo que yo mismo debería decir?[4].

Servidor 1.º. No, por favor, no me emperifolles[5], busca en cambio darnos el piro lejos de nuestro amo.

Servidor 2.º. Di *an-de-mos,* así, de un tirón.

Servidor 1.º. Ya lo digo: *andemos.*

Servidor 2.º. Y después de *andemos* di *des.*

Servidor 1.º. *Des.*

Servidor 2.º. Muy bien. Y ahora como si te... frotaras di primero despacio *andemos,* luego *des* y luego deprisa.

Servidor 1.º. *Andemos, des, andemos, desandemos*[6].

Servidor 2.º. Qué, ¿no es agradable?

Servidor 1.º. Pero tengo miedo de ese presagio por mi piel.

Servidor 2.º. ¿Por qué?

Servidor 1.º. Porque, a los que se... frotan se les va la piel.

Servidor 2.º. Entonces, lo mejor que podemos hacer es ir y suplicar a una imagen de los dioses[7].

Servidor 1.º. ¿Qué imagen? Oye: ¿de verdad crees tú en los dioses?

Servidor 2.º. Sí.

Servidor 1.º. ¿Con qué fundamento?

Servidor 2.º. Porque soy aborrecido por los dioses. ¿No es con razón?

Servidor 1.º. Me convences. Pero debemos examinar las cosas de otro modo. ¿Quieres que le explique el asunto al público?

Servidor 2.º. No es lo peor; pero una cosa tenemos que pedirle, que nos hagan ver bien claro en sus caras si disfrutan con nuestra palabra y con el argumento.

Servidor 1.º. Ahora se lo explico. *(Dirigiéndose al público.)*

---

[3] El esclavo usa una forma vulgar del «valor».

[4] Del *Hipólito* de Eurípides, v. 345.

[5] La madre de Eurípides vendía supuestamente perifollo.

[6] Es decir, huyamos, fuguémonos.

[7] Alusión a los *Siete contra Tebas,* 91 y ss.

Nosotros dos tenemos un amo rústico por su carácter, roe-habas, irascible, el Pueblo de la Pnix[8], un vejete malhumorado un poco sordo. El pasado primero de mes compró un esclavo curtidor, un paflagonio muy malvado y calumniador. Este esclavo, dándose cuenta de las maneras del viejo, el Paflagonio de los cueros, cayó a los pies del amo y se dedicó a mimarle, a halagarle, a adularle, a engañarle con recortes de cuero, diciendo así: «Oh Pueblo, báñate primero y en cuanto sentencies un solo juicio[9], coge tu bocado, sorbe, tómate el postre, coge el trióbolo. ¿Quieres que te sirva una cena?» Entonces el Paflagonio se apodera de lo que uno de nosotros haya preparado para el amo y le obsequia con ello.

Así, anteayer yo había amasado en Pilos una torta laconia y él de la manera más canalla se me pasó por delante, me la birló y se la sirvió él mismo: ¡la torta que yo había amasado![10]. A nosotros nos tiene a distancia y no deja que ningún otro sirva al amo, sino que llevando una rama... de cuero[11], de pie mientras él cena, le espanta... los políticos. Canta oráculos y el viejo entra en el delirio de la Sibila[12]. Y cuando lo ve atontolinado, ha inventado una industria: calumnia falsamente a los de dentro y somos azotados nosotros. Y el Paflagonio, corriendo detrás de los servidores, les exige, les intimida, recibe sobornos diciendo: «¿Veis cómo he hecho azotar a Hilas? Si no me obedecéis, moriréis hoy mismo.» Y nosotros pagamos; y si no, pisoteados por el viejo cagamos ocho veces más. (Al otro Servidor.) Pero por fin tenemos que pensar, amigo, qué camino vamos a tomar y en busca de quién.

Servidor 2.º. Lo mejor, aquél de *andemos,* amigo.

---

8 Donde tenían lugar las Asambleas.

9 En el tribunal popular, la Heliea. Los jueces cobraban tres óbolos. Recuérdense *Las Avispas.*

10 Se trata del conocido episodio de la captura de los lacedemonios en Esfacteria, junto a Pilos, por Cleón, campaña que había iniciado Demóstenes.

11 Se esperaría «de mirto», usada para espantar las moscas. Cleón es curtidor, ya se sabe.

12 Hay testimonio de la pasión por los oráculos en la Atenas de esta época. Véase en esta misma pieza el *«agón* de oráculos», v. 997 y ss.

SERVIDOR 1.º. ¡Pero si no es posible pasar inadvertidos al Paflagonio! Todo lo vigila él mismo. Sus piernas las tiene una en Pilos, otra en la Asamblea. Y como ha dado esa zancada tan grande, su culo está exactamente en los Caones, sus manos en los Etolios, su pensamiento en los Clópidas[13].

SERVIDOR 2.º. Entonces, lo mejor para nosotros es morir.

SERVIDOR 1.º. Pero mira de qué modo moriremos más valientemente.

SERVIDOR 2.º. ¿Cómo, cómo podría ser más valientemente? Lo mejor es para nosotros beber sangre de toro. Pues la muerte de Temístocles es lo más preferible[14].

SERVIDOR 1.º. No, vino puro en honor del Buen Genio[15]. Quizá así se nos ocurrirá algo práctico.

SERVIDOR 2.º. ¡Vino puro![16] Es la bebida lo que te preocupa. ¿Cómo a un borracho puede ocurrírsele algo práctico?

SERVIDOR 1.º. ¿De verdad, tú? Deliras con cántaros en la fuente. ¿Te atreves a hablar mal del vino para la invención? ¿Puedes encontrar alguna cosa que traiga más éxito que el vino? Ya lo ves, cuando los hombres beben, entonces son ricos, consiguen cosas, vencen en los pleitos, son felices, hacen favores a sus amigos. Vamos, sácame rápido una jarra de vino, a ver si riego mi mollera y digo algo ingenioso.

SERVIDOR 2.º. ¡Ay de mí! ¿Qué vas a hacernos con tu bebida?

SERVIDOR 1.º. Amigo mío, tráemelo. (*El* SERVIDOR 2.º *entra en la casa.*) Yo voy a recostarme. Porque si me emborracho, sembraré todo esto (*señalando al teatro*) de pequeños planes y pensamientos e ideas. (*Se echa en el suelo, como si se recostara en un lecho para el banquete. Sale otra vez el* SERVIDOR 2.º.)

SERVIDOR 2.º. ¡Qué suerte que no me cogieron cuando robaba el vino de dentro!

---

[13] Los Caones (en el Epiro) aluden a *khásko* «abrirse» (se acusa a Cleón de homosexualidad). Los Etolios aluden a «pedir»; los Clópidas (deformación de Crópidas, un demo del Ática), a *klépto* «robar».

[14] Según una tradición (Diodoro, XI, 58) Temístocles, desterrado en Persia, se suicidó así para no tener que ayudar a los persas contra los griegos. Pero para Tucídides (I, 138) murió de enfermedad.

[15] Con esta libación se iniciaba el banquete.

[16] Los griegos solían beberlo mezclado con agua.

SERVIDOR 1.º. Dime, ¿qué está haciendo el Paflagonio?

SERVIDOR 2.º. Ha estado lamiendo unas pastas saladas que habían sido confiscadas y ahora el maldito ronca borracho entre los cueros, boca arriba.

SERVIDOR 1.º. Ea, sacúdeme vino puro abundante para una libación.

SERVIDOR 2.º. Tómalo y haz la libación en honor del Buen Genio.

SERVIDOR 1.º. Sorbe, sorbe la libación del Genio Pramnio[17]. *(Sorbiendo.)* ¡Oh buen Genio, tuyo es el plan, no mío!

SERVIDOR 2.º. Dímelo, te lo suplico. ¿Qué pasa?

SERVIDOR 1.º. Pronto, roba y tráeme de dentro los oráculos del Paflagonio.

SERVIDOR 2.º. Bien, pero temo encontrar a ese Genio un Genio maléfico. *(Entra.)*

SERVIDOR 1.º. Vamos, voy a acercarme la jarra para regar mi espíritu y decir algo ingenioso. *(Bebe.)*

SERVIDOR 2.º. *(Vuelve con un rollo.)* ¡Qué fuerte el Paflagonio pedorrea y ronca, tanto que le robé sin que se diera cuenta el oráculo sagrado, el que guardaba con más cuidado!

SERVIDOR 1.º. ¡Oh hombre sapientísimo! Tráelo, quiero olerlo; y tú sírveme de beber de una vez. *(Da la jarra al otro esclavo y coge el rollo.)* Voy a ver, ¿qué hay aquí? ¡Profecías! Dame, dame pronto la jarra.

SERVIDOR 2.º. *(Se la da.)* Bien, ¿qué dice el oráculo?

SERVIDOR 1.º. Sírveme otra.

SERVIDOR 2.º. *(Cogiendo la jarra.)* ¿Dice en las profecías «sírveme otra»?

SERVIDOR 1.º. ¡Oh Bacis![18].

SERVIDOR 2.º. ¿Qué ocurre?

SERVIDOR 1.º. Dame pronto la jarra.

SERVIDOR 2.º. *(Dándosela.)* Mucho usaba Bacis la jarra.

SERVIDOR 1.º. Maldito Paflagonio, por eso estabas siempre en guardia: por miedo al oráculo sobre ti mismo.

---

[17] Vino conocido desde Homero. La referencia es a una región de Caria o Lesbos por lo demás desconocida.

[18] Adivino beocio cuyas profecías reales o supuestas eran muy conocidas en la época de la guerra del Peloponeso.

SERVIDOR 2.º. ¿Por qué?

SERVIDOR 1.º. Aquí está. Aquí está cuál va a ser su fin.

SERVIDOR 2.º. ¿Cómo?

SERVIDOR 1.º. ¿Que cómo? El oráculo dice claramente que primero aparece un vendedor de estopa[19], que tendrá el primero el poder sobre la ciudad.

SERVIDOR 2.º. Ya tenemos un vendedor. ¿Y qué luego? Dímelo.

SERVIDOR 1.º. Después de éste, el segundo es un vendedor de ovejas[20].

SERVIDOR 2.º. Ya son dos vendedores. Y a éste, ¿qué es lo que debe sucederle?

SERVIDOR 1.º. Tener el poder hasta que aparezca otro hombre más canalla que él: tras esto, perece. Pues viene después el Paflagonio vendedor de cueros, rapaz, gritador, con una voz de Ciclóboro[21].

SERVIDOR 2.º. Entonces, ¿estaba destinado que el vendedor de ovejas fuera a ser derribado por un vendedor de cueros?

SERVIDOR 1.º. Sí, por Zeus.

SERVIDOR 2.º. ¡Pobre de mí! ¿De dónde saldría un vendedor, uno sólo?

SERVIDOR 1.º. Todavía queda uno, con un oficio extraordinario.

SERVIDOR 2.º. Dime, te lo suplico, ¿quién es?

SERVIDOR 1.º. ¿Te lo digo?

SERVIDOR 2.º. Sí, por Zeus.

SERVIDOR 1.º. Un vendedor de morcillas es el que va a destronarlo.

SERVIDOR 2.º. ¿Un vendedor de morcillas? ¡Oh Posidón, qué oficio! Veamos, ¿dónde vamos a encontrar a este hombre?

SERVIDOR 1.º. Busquémosle. Pero aquí viene al ágora, como enviado por un dios. ¡Oh feliz vendedor de morcillas, aquí, aquí, queridísimo, «acércate puesto que has aparecido cual salvador de la ciudad y de nosotros dos»[22].

---

[19] Eúcrates, citado en v. 254.
[20] Lisicles, citado en v. 765.
[21] Torrente de Atenas que hacía gran estruendo en las avenidas.
[22] El Morcillero se dirigía al mercado y el Servidor 1.º le ve en uno de los

(*Llega el* Morcillero, *trae una mesita y morcillas, tripas, etc.*)

Morcillero. ¿Qué pasa? ¿Por qué me llamáis?

Servidor 1.º. Ven aquí para que te enteres de qué suerte tienes y qué enormemente feliz eres.

Servidor 2.º. Ven, deja en el suelo la mesita y entérate de cómo es el oráculo del dios. Yo entre tanto voy a echar un ojo al Paflagonio. (*Entra en la casa.*)

Servidor 1.º. Vamos, deja tus cosas en el suelo; luego adora a la tierra y a los dioses.

Morcillero. (*Deja sus cosas.*) Vamos. ¿Qué pasa?

Servidor 1.º. (*Declamando.*) ¡Oh hombre feliz, oh rico, oh el que ahora no eres nadie y mañana serás muy grande, oh soberano de la feliz Atenas!

Morcillero. ¿Por qué, amigo, no me dejas lavar las tripas y vender las morcillas? Te estás riendo de mí.

Servidor 1.º. ¿Qué tripas, majadero? Mira aquí. (*Señalando al público.*) ¿Ves las filas de esta multitud?

Morcillero. Las veo.

Servidor 1.º. De todos ellos serás soberano y también del mercado y de los puertos y de la Pnix: al Consejo lo pisotearás, a los generales les harás una poda y en el pritaneo putearás[23].

Morcillero. ¿Yo?

Servidor 1.º. Tú en verdad. Y todavía no lo ves todo. Pero sube a esta mesita y mira las islas todas en torno.

Morcillero. (*Subiendo.*) Las estoy viendo.

Servidor 1.º. ¿Y qué más? ¿Ves los puertos de comercio y los barcos de carga?

Morcillero. Los veo.

Servidor 1.º. Entonces, ¿cómo no vas a ser extraordinariamente feliz? Todavía más, vuelve hacia Caria tu ojo derecho y el otro hacia Cartago.

Morcillero. ¿Y voy a ser feliz si me quedo bizco?

---

laterales (es aún invisible para el público) y le dice que se acerque. Parece parodia de tragedia, igual que varias veces en la misma escena.

[23] Parodia de la comida en el pritaneo, el mayor honor conferido por la ciudad.

SERVIDOR 1.º. No, sino que todo es vendido a través de ti. Pues vas a ser, según dice este oráculo, un hombre importantísimo.

MORCILLERO. Pero dime: ¿cómo siendo yo un morcillero voy a convertirme en un hombre?

SERVIDOR 1.º. Por eso mismo te harás importante: porque eres un canalla, un placero y un cara dura.

MORCILLERO. No me creo digno de tener un gran poder.

SERVIDOR 1.º. ¡Ay de mí!, ¿qué es eso de que no te crees digno? Me parece que tienes conciencia de que posees alguna buena cualidad. ¿Es que has nacido de gente honrada y distinguida?

MORCILLERO. No, por los dioses, de gente miserable.

SERVIDOR 1.º. ¡Afortunado por tu suerte! ¡Qué ventaja tienes para la política!

MORCILLERO. Pero, amigo, no tengo cultura, salvo las letras y éstas malas y malamente.

SERVIDOR 1.º. Esto es lo único que te perjudica, que «malas y malamente». El guiar al pueblo no es cosa de un hombre culto ni de buenos principios, sino de un ignorante y bellaco. Pero no descuides lo que los dioses te dan en las profecías.

MORCILLERO. ¿Cómo dice el oráculo?

SERVIDOR 1.º. Está envuelto en enigmas, en forma excelente, ingeniosa y sabia:

Pero cuando atrape al cueriáguila de curvas garras
con su pico a la serpiente pasmada, chupasangre,
entonces de los paflagonios perece la salmuera de ajos
y el dios otorga a los vendetripas una gran gloria
salvo que prefieran seguir vendiendo sus morcillas.

MORCILLERO. ¿Y cómo puede esto referirse a mí? Explícamelo.

SERVIDOR 1.º. Ello mismo lo dice: porque con sus curvas manos roba y se lleva cosas.

MORCILLERO. Y la serpiente, ¿a qué viene?

SERVIDOR 1.º. Esto es lo más claro de todo. La serpiente es larga y la morcilla también larga; luego, son chupasangres tanto la morcilla como la serpiente. Y quiere decir que la serpiente vencerá al cuerlágulla, si no se deja ablandar con palabras.

Morcillero. Los oráculos me halagan; pero no sé cómo voy a ser yo capaz de gobernar al pueblo.

Servidor 1.º. Cosa sencillísima: eso que haces, sigue haciéndolo. Revuelve y embute juntas todas las cosas y pon siempre al pueblo de tu parte, endulzándole con unas palabritas de buena cocina. Todas las demás cosas propias de un jefe del pueblo, las posees: una voz canalla, bajo nacimiento, eres placero. Tienes para la política todo lo que hace falta; y los oráculos coinciden con el pítico. Esa, cíñete una corona y haz una libación a Pasmado[24]. Y arremete contra el individuo.

Morcillero. ¿Y quién va a ser mi aliado? Porque los ricos le temen y el pueblo pobre se pee de miedo.

Servidor 1.º. Hay mil caballeros, bravos atenienses, que le odian: éstos vendrán en socorro tuyo y con ellos todos los ciudadanos honorables y distinguidos; y de los espectadores, todos los que son inteligentes y yo con ellos y el dios te ayudaremos. No tengas miedo: no lleva un rostro a imitación suya, pues de puro miedo ninguno de los fabricantes de máscaras quiso hacer una semejante. Pero de todos modos, será reconocido: el teatro es inteligente.

Servidor 2.º. *(Desde dentro.)* Desdichado de mí, que sale el Paflagonio.

(Sale el Paflagonio.)

Paflagonio. No vais a sacar provecho, por los doce dioses, de que hace tiempo que estáis conspirando contra el pueblo. ¿Qué hace aquí esa copa calcídica?[25]. No cabe duda de que tratáis de sublevar a los calcidios. Vais a perecer, vais a morir, malditos.

---

[24] Debía de ser un demonio estúpido, identificado ya antes con la serpiente-morcilla.

[25] Es la que había traído el Servidor 2.º con el vino. Cálcide, en Eubea, fabricaba vasos de plata y bronce.

SERVIDOR 1.º. (*Al* MORCILLERO, *que huye asustado.*) Tú, ¿por qué huyes? Detente. Noble morcillero, no traiciones la causa.

Caballeros, presentaos: ahora es la ocasión. Simón,
Panecio, avanzad hacia el ala derecha.
Ya están cerca. (*Al* MORCILLERO.) Defiéndete, vuélvete
   contra él.
La polvareda indica que ya están cerca.
Defiéndete, pégale, ponle en fuga.

(*Vuelve el* MORCILLERO. *Él y los dos* SERVIDORES *atacan al* PA-
FLAGONIO. *Llega el* CORO *de caballeros.*)

CORIFEO.
Pega, pega al muy canalla, al que hostiga a la caballería,
al recaudador, al golfo sin fondo, al Caribdis[26] de rapiña,
al canalla, muy canalla: muchas veces lo diré:
también él era canalla muchas veces cada día.
Pégale, persíguele, hostígale, retuércele,
aborrécele —también nosotros— y acosándole chilla.
Cuidado no se te escape, pues conoce los caminos
por los que escapaba Eúcrates derecho al salvado[27].
PAFLAGONIO.
Ancianos heliastas, cofrades del trióbolo[28],
a los que yo alimento gritando cosas justas e injustas,
venid en mi socorro, que me golpean unos conjurados.
CORIFEO.
Con razón, porque devoras los bienes públicos sin tener siquiera un cargo;
y como cogiendo higos, tientas a los que rinden cuentas,
   mirando

---

[26] Uno de los dos monstruos que arrebataban a los marineros de Odiseo en el estrecho de Mesina.

[27] Sobre Eúcrates, véase 139 y nota. Parece que, perseguido en juicio, lo-graba escapar, aunque la alusión no es clara. «El salvado» se refiere al lugar del mercado donde se vendía.

[28] Son los jurados, que cobraban tres óbolos por la asistencia cada día. Son comparados a los miembros de una fratría, conjunto de familias. Cleón es su gran benefactor.

cuál de ellos está verde o maduro o no maduro.
Y miras de los ciudadanos quién es como un borrego,
rico, nada atravesado y asustado de los líos.
Y si ves que uno de ellos es torpe y bobalicón
le traes del Quersoneso[29], le coges por la cintura y le zanca-
dilleas,
luego le retuerces el hombro y le pones el pie en la barriga.

PAFLAGONIO.

También vosotros me atacáis. Pero yo, ciudadanos, recibo
golpes por vosotros,
porque iba a presentar la propuesta de que es justo en la
acrópolis
levantaros un monumento a causa de vuestro valor[30].

CORIFEO.

¡Qué charlatán! ¡Qué truquista! ¿Veis cómo se nos escurre?
Como si fuéramos viejos, trata de burlarnos.

PAFLAGONIO.

¡Oh ciudad y pueblo, qué bestias me golpean el vientre!

SERVIDOR 1.º.

¿Y encima gritas como cada vez que quieres hacerte el amo
de la ciudad?

MORCILLERO.

Pues si vence de ese modo, de este otro será golpeado[31];
y si me esquiva, topará contra mi pierna[32].

PAFLAGONIO.

Pero yo te pondré primero en fuga con estos gritos míos.

CORIFEO.

Si vences con tus gritos, ¡hurra para ti!
Pero si te sobrepasa en impudor, nuestro es el pastel[33].

---

[29] Quizá es un colono ateniense o un militar en servicio o un comerciante de granos (que se importaban del Mar Negro y a través del Helesponto).

[30] Los caballeros habían contribuido a la victoria en una expedición naval contra Corinto el 425. Cfr. 595 y ss.

[31] Le amenaza con el puño.

[32] Como un carnero. El Morcillero le cerrará el paso.

[33] Frase proverbial. Se trata del pastel que se daba como premio en varios juegos y, también, a los que resistían sin dormirse hasta el fin del banquete.

PAFLAGONIO.

Denuncio a este individuo y afirmo que exporta para los trirremes de los peloponesios... sopa de carnajes[34].

MORCILLERO.

Y yo le denuncio, por Zeus, porque con la tripa vacía entró en el pritaneo y sale con ella llena.

SERVIDOR 1.º

Sí, exportando cosas prohibidas, pan de trigo, carne y rajas de pescado, cosa que nunca osó Pericles.

PAFLAGONIO.

Al punto vais a morir.

MORCILLERO.

Triple que tú gritaré.

PAFLAGONIO.

Te haré callar con mis voces.

MORCILLERO.

Te haré callar con mis gritos.

PAFLAGONIO.

Te difamaré en tu mando[35].

MORCILLERO.

Te pegaré como a un perro.

PAFLAGONIO.

Te rodearé de imposturas.

MORCILLERO.

Te cortaré los caminos.

PAFLAGONIO.

Mírame, no pestañees.

MORCILLERO.

(Así lo hace.) Yo también nací en el ágora.

PAFLAGONIO.

Te haré trozos, como gruñas.

MORCILLERO.

Te haré basura, si charlas.

PAFLAGONIO.

Soy un ladrón y tú no.

---

[34] Cordajes navales, que contamina con «sopa de carne».
[35] Como general.

MORCILLERO.

Sí, por el Hermes del ágora.

PAFLAGONIO.

Y perjuro, aunque me vean.

MORCILLERO.

Es sabiduría ajena.

PAFLAGONIO.

Te denunciaré a los prítanis
por guardar sin pagar diezmo
  las tripas sagradas[36].

CORO.

Estrofa 1.

Oh canalla, asqueroso y gritón, de tu impudor
la tierra está llena, lo está la Asamblea,
los impuestos, los pleitos, los tribunales, oh
removedor del fango que la ciudad entera
  has hecho un caos completo.
que a nuestra Atenas has dejado sorda gritando
y espiando desde arriba, desde las rocas[37], como
  el que espía a los atunes, los tributos.

PAFLAGONIO.

Sé muy bien dónde a este asunto se le ponen las suelas.

MORCILLERO.

Si tú no sabes de suelas, tampoco yo de morcillas:
tú que cortando de través la piel de un mal buey, la vendías
tramposamente a los rústicos, para que pareciese gruesa
¡y antes de usarla un día era de más de dos palmos![38].

SERVIDOR 1.º.

¡Por Zeus! También a mí me hizo eso mismo, de modo que
  una risa

---

[36] Había que pagar el diezmo de los sacrificios. Pero aquí se habla de tripas, como burla al Morcillero.

[37] Desde la Pnix, es decir, desde la Asamblea. Se trata de los tributos de los aliados de las islas.

[38] La piel tan fina se daba de sí.

muy grande procuré a mis paisanos y a mis amigos.
Antes de llegar a Pérgasa[39] nadaba en mis zapatos.

Estrofa 2.

¿Es que desde el principio no mostrabas
el impudor que rige a los políticos?
En él fiado ordeñas de entre los extranjeros a los más pro-
ductivos,
tú el primero; y el hijo de Hipodamo se consume de llanto
al contemplarlo[40].
Pero ha llegado otro varón que es mucho
más canalla que tú. ¡Yo me divierto!
Va a callarte y a pasarte —es cosa clara— al punto
en desvergüenza y cara dura,
también en bufonadas.

CORIFEO.

¡Oh tú que te criaste allí de donde son los hombres que son
hombres,
haz ver ahora que nada significa el criarse honesta-
mente!

MORCILLERO.

Ea, escuchad qué clase de ciudadano es este hombre.

PAFLAGONIO.

¿No me dejarás hablar?

MORCILLERO.

No, por Zeus.

PAFLAGONIO.

Sí, por Zeus.

MORCILLERO.

No, por
Posidón,
pues voy a luchar primero por hablar el primero.

PAFLAGONIO.

¡Ay, ay, voy a reventar!

---

39 Un demo cerca de Atenas.
40 Arqueptólemo, político aristocrático enemigo de Cleón.

MORCILLERO.

Pero yo no dejaré...

SERVIDOR 1.º.

Déjale, déjale que reviente, por los dioses.

PAFLAGONIO.

¿Y en qué confías para osar hablar contra mí?

MORCILLERO.

En que también yo soy capaz de hablar y de hacer una buena salsa[41].

PAFLAGONIO.

Dices que hablar. Fácilmente, si te viene a las manos un asunto

bien despiezado, podrías, cogiéndolo, manejarlo bien.

Pero, ¿sabes cuál pienso que es tu problema? El de la mayoría.

Si alguna vez hablaste bien en un pequeño juicio contra un meteco,

a fuerza de charlar toda la noche y de hablar en las calles contigo mismo,

de beber agua, de ensayar y de aburrir a tus amigos,

te creíste buen orador. Estúpido, ¡qué insensatez!

SERVIDOR 1.º.

¿Qué es lo que bebes que has hecho que la ciudad ahora,

domada a fuerza de lengua por obra de ti solo, permanezca en silencio?

PAFLAGONIO.

¿Es que has podido comparar a nadie conmigo? ¿Con un hombre que,

en cuanto me coma unas rajas de atún bien calientes y me beba después una jarra de vino puro,

voy a joder a los generales de Pilos?

MORCILLERO.

Y yo, en cuanto me trague unos callos de vaca y una panza de cerdo

y me beba después el caldo, sin lavarme siquiera

voy a engullirme a los políticos y a Nicias... a removerlo[42].

---

[41] Es decir, embrollar las cosas.
[42] Con intención sexual.

SERVIDOR 1.º.

Me gustó lo demás que decías, pero hay algo que no me atrae:

que tu solo vas a sorber el caldo de la política.

PAFLAGONIO.

No vas a caer sobre los milesios tras comerte sus lubinas[43].

MORCILLERO.

Pero tras comerme unas costillas de buey, me compraré minas.

PAFLAGONIO.

Y yo caeré de un salto en el Consejo y le daré un buen meneo.

MORCILLERO.

Y yo sacudiré tu culo igual que una salchicha.

PAFLAGONIO.

Y yo te arrastraré fuera por la rabadilla, con la cabeza gacha.

SERVIDOR 1.º.

Por Posidón, también a mí, si arrastras a éste.

PAFLAGONIO.

¡Cómo te pondré en el cepo!

MORCILLERO.

Te acusaré[44] de cobarde.

PAFLAGONIO.

Tu piel irá al caballete[45].

MORCILLERO.

De ti haré un saco... de robo.

PAFLAGONIO.

Serás clavado en el suelo.

MORCILLERO.

Haré de ti un picadillo.

PAFLAGONIO.

Te arrancaré las pestañas.

MORCILLERO.

Te voy a sacar el buche.

---

[43] Las lubinas de Mileto eran las mejores; y Mileto era una ciudad aliada de Atenas.

[44] Ante el tribunal.

[45] Para ser curtida.

SERVIDOR 1.º.
Por Zeus, metedle una estaca
como hacen los cocineros
en la boca, y de dentro
sacadle luego la lengua:
y miremos con valor,
    con él boquiabierto,
su culo[46], no tenga granos.

Antístrofa 1.

Había algo, está claro, más ardiente que el fuego
y en la ciudad palabras todavía más impúdicas;
y el asunto no era ni simple ni ligero.
(*Al* MORCILLERO.)
Dale pues y retuércelo, no hagas nada pequeño:
    ahora hemos hecho presa[47].
Si ahora lo ablandas con tu ímpetu
lo encontrarás cobarde: conozco su naturaleza.
SERVIDOR 1.º.
Y sin embargo éste, que ha sido así toda la vida,
parecía ser un hombre, segando la cosecha ajena.
Y ahora aquellas espigas que se trajo de allí,
metidas en el cepo, las pone a secar y quiere vender-
    las[48].
PAFLAGONIO.
No os tengo miedo mientras esté vivo el Consejo
y el rostro del pueblo esté embobado, allí sentado.

Antístrofa 2.

¡Cómo en todas las cosas es impúdico
y en nada cambia ese color que tiene!

---

[46] Es la parte inferior de la lengua la que se examinaba antes de matar al cerdo, para ver si estaba sano de triquina.

[47] Comparaciones con el pugilato, una vez más.

[48] Una vez más, se acusa a Cleón de haber birlado a Nicias y Demóstenes la victoria de Pilos. Las «espigas» son los lacedemonios presos en Atenas, que él quería que Esparta rescatase haciendo la paz (como así fue el 421).

Si no te odio, ojalá me convierta en una pelliza de carnero
  en casa de Cratino[49]
y aprenda a cantar mi parte en una tragedia de Mórsimo[50].
¡Oh tú el que siempre en todos los asuntos
te sientas en las flores del soborno,
tan fácil como lo hallaste, echa fuera el bocado!
  Tan sólo entonces cantaré:
    «bebe por nuestros éxitos!»
  Creo que el hijo de Ulio, el viejo guiña-al-trigo[51],
alegre gritará «Ié Peán» y cantará «Baco, Baco».

PAFLAGONIO.
Jamás vais a superarme en desvergüenza, por Posidón,
o, si no, que nunca esté yo presente en las tripas de Zeus del
  ágora[52].

MORCILLERO.
  Y yo, por los puños que muchas veces en muchas oca-
    siones
aguanté desde niño y también navajazos,
creo que voy a derrotarte en eso. Si no, en vano
me habría criado tan robusto, comiendo sólo bolas
  de pan[53].

PAFLAGONIO.
¿Bolas de pan como un perro? Más que maldito,
¿comiendo comida de perro vas a luchar con un cino-
  céfalo?[54].

MORCILLERO.
  Y tenía, por Zeus, otros trucos cuando era niño:
engañaba a los carniceros diciendo cosas como éstas:

---

[49] Aristófanes sugiere que su viejo rival se orinaba encima de esa pelliza.

[50] Poeta trágico acusado de frío.

[51] Debe de ser un *sitophylax* (eran magistrados que administraban el comercio del trigo) perseguido por Cleón. El adjetivo es parodia de *parthenopípa*
«el que engaña o seduce a las doncellas», como Paris.

[52] Es decir, en la asamblea, presidida por esta advocación de Zeus (es
«Zeus del mercado», a la vez) e iniciada con un sacrificio al mismo dios.

[53] Las que echaban los comensales a los perros tras limpiarse los dedos
con ellas.

[54] «Cabeza de perro» en griego.

«Mirad, niños, ¿no veis? Ya está aquí la primavera: ¡una
    golondrina!»
Ellos miraban y yo entre tanto robaba carne.

SERVIDOR 1.º.

Oh carne ingeniosísima, sabiamente tomabas precau-
    ción:
robabas como el que come ortigas antes de llegar las golon-
    drinas[55].

MORCILLERO.

Y, haciéndolo pasaba inadvertido. Y si uno me veía,
escondía la carne entre las nalgas y negaba con juramento,
tanto que un político que me vio haciendo esto, dijo:
«seguro que este niño llegará a gobernar al pueblo».

SERVIDOR 1.º.

Bien lo conjeturó y es claro por qué se dio cuenta:
porque perjurabas después de robar y tu culo llevaba carne.

PAFLAGONIO.

Voy a terminar con tu cara dura o, mejor, creo que con la
    de los dos.
Iré contra ti lanzándome huracanado y violento,
removiendo la tierra y el mar a lo loco.

MORCILLERO.

Y yo recogeré mis morcillas y luego me dejaré llevar
por las olas con el viento, mandándote a llorar en abun-
    dancia.

SERVIDOR 1.º.

Y yo, si se abre una vía de agua, vigilaré la sentina.

PAFLAGONIO.

No te escaparás, por Deméter, después que muchos ta-
    lentos
robaste a los atenienses.

SERVIDOR 1.º.

                          Mira y afloja la escota,
porque sopla un Nordeste o un Sicofanteste.

MORCILLERO.

Y yo sé bien que tienes diez talentos robados de Potidea[56].

---

55 Las ortigas se comían tiernas, muy al comienzo de la primavera.
56 Plaza fuerte ateniense en Calcídica tomada el 429.

PAFLAGONIO.

(*En voz baja.*) ¿Cómo? ¿Quieres coger uno y callar?

SERVIDOR 1.º.

(*Para sí.*) Los cogería de buena gana. (*Al* MORCILLERO.)
    Afloja los cordajes de la verga.

El viento ya va amainando.

PAFLAGONIO.

Voy a intentarte cuatro procesos de cien talentos cada uno.

MORCILLERO.

Por deserción a ti veinte
y por robo más de mil.

PAFLAGONIO.

Desciendes de los impíos
que ofendieron a la diosa[57].

MORCILLERO.

Digo que tu abuelo era
guardaespaldas[58]...

PAFLAGONIO.

                    ¿De quién? Dilo.

MORCILLERO.

De Cuerina[59] la de Hipias.

PAFLAGONIO.

Eres bufón.

MORCILLERO.

            Tú canalla.

SERVIDOR 1.º.

Pégale fuerte. (*Le pega.*)

PAFLAGONIO.

                    ¡Ay, ay!

Me pegan los conjurados.

SERVIDOR 1.º.

Golpéalo virilmente
en su vientre con tus tripas,

---

[57] Los aristócratas que, en el 612 a. C., mataron a Cilón y los demás conspiradores que se habían refugiado en el altar de Atenea en la acrópolis.

[58] Es decir, guardia de corps de los tiranos.

[59] Su verdadero nombre era Mirrina.

con tu colon,
golpéalo así[60].

CORIFEO.
¡Oh carne nobilísima, oh el hombre más valiente que nadie por su alma,
tú que apareciste cual salvador de la ciudad y de nosotros
los ciudadanos,
¡qué bien, qué ingeniosamente atacaste a ese individuo con
tus palabras!

PAFLAGONIO. No se me escapaba, por Deméter, cómo ese
plan era carpinteado, sino que sabía que se lo sujetaba con
pernos y se lo encolaba.
MORCILLERO. No se me escapa lo que planeas en Argos. (Al
público.) En apariencia, trata de atraernos la alianza de Argos, pero en privado negocia allí con los lacedemonios.
SERVIDOR 1.º. (Al MORCILLERO.) ¡Ay! ¿Y no dices nada en el
lenguaje de los carreros?
MORCILLERO. Sé muy bien para qué soplan juntos los fuelles:
es algo que se forja en relación con los prisioneros[61].
SERVIDOR 1.º. Bien, bien: forja en vez de encolar.
MORCILLERO. También hombres de allí baten contigo el mar-
tillo. Aunque me des plata u oro o me envíes amigos, no
vas a convencerme para que no les cuente esto a los atenienses.
PAFLAGONIO. Pues yo ahora mismo voy a ir al Consejo y a denunciar las conjuraciones de todos vosotros y las reuniones
nocturnas en la acrópolis[62] y todas las conspiraciones con
los Medos y el Rey y esas intrigas que cuajáis como quesos
con los beocios.
MORCILLERO. ¿A cuánto está el queso en Beocia?
PAFLAGONIO. Y, por Zeus, voy a dejarte bien estirado[63].
(Sale.)

---

[60] Hay un juego de palabras intraducible.
[61] Los prisioneros lacedemonios de Pilos, presos en Atenas: el Morcillero
sugiere conversaciones de Cleón y los espartanos en torno a su suerte y, en
definitiva, a hacer la paz.
[62] Alusión a la conspiración de Cilón, véase arriba.
[63] Alusión, una vez más, a las pieles.

Servidor 1.º. (*Al* Morcillero.) Vamos, tú ahora vas a explicarme qué intención o qué plan tienes, si es verdad que en otro tiempo escondiste la carne entre las nalgas, como dices tú mismo. Corre rápido al Consejo, porque va a caer sobre él y a calumniarnos a nosotros todos y a gritar un gran griterío.

Morcillero. Ya voy; pero, según estoy, voy a dejar aquí las tripas y los cuchillos.

Servidor 1.º. Toma, úntate el cuello con esto para que puedas deslizarte... entre sus calumnias. (*Le da grasa.*)

Morcillero. Dices bien esto, igual que un entrenador de púgiles.

Servidor 1.º. Toma, trágate esto. (*Le da unas cabezas de ajo.*)

Morcillero.   ¿Para qué?

Servidor 1.º. Para que luches mejor, cebado de ajo[64].
     Corre rápido[65].

Morcillero. Ya lo hago.

Servidor 1.º. Acuérdate
de morder, difamar, devorar las crestas.
Y vuelve en cuanto te hayas comido sus barbas[66].

Corifeo.
Vete con suerte: tengas éxito
cual yo deseo, y que te guarde
Zeus de la plaza; y vencedor
de allí a nosotros otra vez
     retornes coronado.

(*Al público.*)

Seguid con atención vosotros
     los anapestos:
¡vosotros que una Musa varia
     habéis probado ya!

---

[64] Como un gallo de pelea.
[65] Inversión del proverbio «corre lentamente».
[66] La palabra se refiere a barbas de gallo: el combate del Morcillero y el Paflagonio es el de dos gallos.

CORIFEO.

Si alguno de los viejos maestros de comedia
quisiera obligarnos a recitar ante el teatro la parábasis
no lo habría logrado fácilmente; pero ahora es digno de
ello nuestro poeta
porque odia a los mismos que nosotros y se atreve a decir
lo que es justo
y marcha con gallardía contra el Tifón y el Torbellino.
Pero en cuanto a lo que dice que sorprende a muchos que
se le acercan
y que le preguntan cómo es que no había hace ya tiempo
pedido un coro por sí mismo[67],
eso nos ha encargado que se lo expliquemos. Asegura nuestro poeta
que ha dejado pasar el tiempo no por falta de reflexión,
sino porque pensaba
que la puesta en escena de una comedia era la cosa más difícil de todas.
Pues muchos fueron los que lo pretendieron, pero a pocos
concedió sus favores.
Y a vosotros hace mucho que yo os conocía como cam-
biantes por naturaleza
y gente que había traicionado a los poetas anteriores en
cuanto se hacían viejos.
Sabía lo que le pasó a Magnes en cuanto le llegaron los cabellos blancos,
un hombre que había erigido muchos trofeos de victoria
sobre los coros enemigos.
Pues bien, por más que emitía toda clase de sonidos y toca-
ba la lira y movía las alas
y hacía el lidio y zumbaba como un moscón y se teñía de
color de rana[68],
no resistió, sino que finalmente en su vejez, no en su juventud,

---

[67] Las piezas de Aristófanes anteriores a ésta habían sido puestas en escena
a otro nombre.
[68] Alusión a diversas comedias de Magnes, el más antiguo de los cómicos
atenienses que conocemos: *Los tocadores de lira, Las aves, Los moscardones, Las
ranas*.

fue arrojado de la escena ya viejo, porque se quedó corto en
las burlas.

Luego se acordaba de Cratino, que primero corría desbor-
dado entre grandes elogios

por planicies sin escollos y arrancándolas de sus asientos

se llevaba las encinas, los plátanos y los enemigos con raí-
ces y todo.

Y en el simposio no se podía cantar otra cosa que «Doro de
sandalias de higo»[69]

y «carpinteros de canciones bien trabajadas»: hasta tal punto floreció.

Y ahora vosotros le veis que chochea y no le compade-
céis

cuando ya se le caen las clavijas, las cuerdas están flojas

y las junturas se abren; sino que, ya viejo, anda errante

como Connas[70], llevando una corona seca y muerto de sed:

un hombre que como premio a sus victorias anteriores debería beber[71] en el pritaneo

y no chochear, sino ver las comedias con rostro resplande-
ciente al lado de Dioniso.

¡Y cuántas iras vuestras, cuántos malos tratos sufrió Crates

que os daba un desayuno con poco gasto y os mandaba
a casa

tras haber con un gusto refinado amasado exquisitas ocu-
rrencias!

Éste es, con todo, el único que se sostenía, ya cayendo,
ya no.

Por miedo a esto nuestro poeta daba siempre largas; y además decía

que hay que ser remero antes de ponerse al timón;

---

[69] Parodia de una canción de los *Euneidas* de Cratino (de donde viene también lo que sigue). Doro es una especie de diosa de los regalos o la corrupción; su epíteto alude a los sicofantas, que recibían regalos por retirar sus de-
nuncias.

[70] Forma despreciativa del nombre de Conno, el gran músico maestro de
Sócrates.

[71] Por «comer». Aristófanes califica a Cratino de borracho. «Comer en el
pritaneo» era un honor conferido por la ciudad.

y luego ya ser piloto y observar los vientos. Así pues, por
  todo esto,
porque saltó a la escena con prudencia en vez de hacerlo
  insensatamente y decir vaciedades,
levantad en su honor un gran oleaje de aplausos y acompa-
  ñadle con once golpes de remo[72]:
  clamor honroso del Leneo[73]
porque el poeta marche alegre,
    triunfante, feliz,
con su frente radiante.

Estrofa.

  Señor Posidón Hipio[74], al que
  el son de los cascos de bronce
  y los relinchos le son gratos
  y los veloces, de azul proa
    trirremes cobradores[75]
  y las carreras de los jóvenes
  llenos de orgullo por sus carros
    y de suerte infeliz[76],
¡ven aquí al coro, oh dios de áureo tridente,
oh rey de los delfines que honra a Sunion[77],
    oh el de Geresto hijo de Crono,
    el más querido de Formión[78],
    es más, de entre todos los dioses
      ahora también de Atenas.

CORIFEO.

Queremos elogiar a nuestros padres, porque

---

[72] Hay varias interpretaciones: quizá se daban diez golpes de remo en honor del capitán y aquí se pide uno más.

[73] Recuérdese que la comedia se representó en las Leneas. El coro pide el
premio para la obra.

[74] De los caballos, el propio dios se aparece en forma de caballo.

[75] Del tributo de los aliados.

[76] ¿Porque a veces pierden la carrera? ¿Por los muchos gastos?

[77] Se mencionan lugares de culto de Posidón. Sunion es el conocido cabo
del Ática, Geresto un puerto al sur de Eubea.

[78] Almirante ateniense que venció a los corintios el 429.

fueron hombres dignos de este país y del peplo[79],
pues en batallas de a pie y con el ejército naval
triunfando siempre, dieron honor a esta ciudad.
Porque ninguno de ellos, cuando vio a los enemigos
los contó, sino que su corazón era su defensa[80];
y si una vez caían sobre el hombro en un combate
se lo frotaban un poco y luego negaban haber caído,
seguían luchando. Y ningún general
de los de antes habría pedido ser mantenido,
en el pritaneo, por intermedio de Cleéneto[81];
mientras que ahora, si no consiguen la presidencia[82] y la
     comidita
se niegan a combatir. Pero nosotros exigimos a la ciudad
poder defenderla gallardamente y gratis e igual a los dioses
     del país.
Y, aparte de esto, no pedimos nada, sino esta sola cosita:
si alguna vez llega la paz y terminamos nuestros sufrimien-
     tos,
no os enfadéis porque llevemos una larga cabellera y este-
     mos bien frotados con la raedera[83].

Antístrofa.

De la ciudad guardiana, Palas,
oh de la más sagrada tierra
de todas, de la que aventaja
en guerra, poetas y fuerza
     tú que eres defensora.
llégate aquí trayendo a aquélla
que en las campañas y batallas
     es nuestra auxiliadora,

---

[79] El de Atenea, que se ofrecía a la diosa en las Panateneas, cada cuatro años.

[80] Juego de palabras intraducible: Aminias es un nombre propio que suena a «defensor».

[81] El padre de Cleón.

[82] El derecho a sentarse en la primera fila del teatro.

[83] Los caballeros se refieren a la moda de los cabellos largos (tachada de fi-
lolaconia) y de los baños y la palestra.

Victoria que va unida a nuestros cantos
y a nuestro lado bate al enemigo.
      Muéstrate pues aquí: pues debes
      a nuestro coro procurar
      a cualquier precio la victoria
      si alguna vez, ahora.

CORIFEO.

Lo que sabemos de los caballos, queremos elogiarlo.
Son dignos de ser ensalzados: muchas acciones
realizaron con nosotros, incursiones y batallas.
Pero no admiramos tanto sus combates en tierra
como cuando saltaron virilmente a los transportes de ca-
      ballos
comprando cantimploras, y otros ajos y cebollas;
y luego empuñaron los remos como nosotros los mortales.
Comenzaron a remar y relincharon: «papapaí[84], ¿quién va
      a remar?
¡Más fuerte! ¿Qué hacemos? ¿No vas a remar, Sán-
      fora?»[85].
Y desembarcaron en Corinto[86]; y los más jóvenes
con sus cascos cavaron trincheras e iban a por víveres.
Y en vez de alfalfa comían cangrejos
si alguno salía fuera o cogiéndolos del fondo.
Por lo que Teoro[87] contó que un cangrejo de Corinto[88]
      dijo:
«Terrible cosa es, Posidón, si ni en el fondo voy a poder
ni en la tierra ni en el mar escapar de los caballeros.»

(*Llega el* MORCILLERO.)

---

84 Parodia del grito de los remeros «ripapaí», cambiado al ser atribuido a
los caballos.

85 Nombre de un caballo marcado con la setra *san*.

86 Se trata de un desembarco en Corinto el 425 bajo el mando de Nicias.
La caballería dio la victoria a los atenienses; los caballeros se elogian a sí mismos indirectamente a través de los caballos.

87 Conocido como amigo de Cleón (enemigo, por tanto, de los caballeros).

88 Los atenienses llamaban «cangrejos» a los corintios, por la semejanza
del nombre.

Corifeo. ¡Oh mi amigo, el más querido y más audaz, cuánta preocupación nos causó tu ausencia! Ahora que has vuelto sano y salvo a nosotros, cuéntanos cuál fue el resultado del debate.

Morcillero. ¿Qué otra cosa os diría sino que he resultado un Vence-Consejo?[89].

Estrofa.

Ahora debemos todos dar gritos de alegría.
¡Oh tú que hablas tan bien, pero que has realizado obras
    mejores
    que las palabras, cuéntame
    todo muy claramente!
        Porque yo creo
    que andaría un largo trecho
    para escucharte. Así que, amigo,
    habla con confianza: todos
        estamos a tu lado.

Morcillero. La verdad, vale la pena escuchar lo sucedido. Partí de aquí enseguida detrás de él; y, en tanto, él dentro, rompiendo en palabras tonitronantes como si profiriera conjuros, atacaba a los caballeros, lanzándoles palabras cual peñascos y llamándolos conspiradores, con voz muy persuasiva. Y el Consejo todo, al escucharle, se llenó, por obra suya, de falso armuelle[90], tuvo miradas de mostaza y frunció el ceño. Y, al ver que se creía sus palabras y se dejaba engañar por sus patrañas, me dijo: «Ea, Escítalos y Fénaces, Berésquetos y Cóbaldos y Motón[91] y mercado, en el que de niño me crié, dadme ahora cara dura y lengua fácil y voz canalla.» Mientras pensaba esto, a mi derecha se tiró un pedo un maricón. Me postré en adoración[92]; y luego,

---

89 Nicobulo, nombre de hombre.

90 Esta planta confiere palidez a los que la toman. El Consejo se pone pálido de cólera.

91 Espíritus (algunos inventados por Aristófanes) del impudor y el engaño.

92 Como se hace ante un presagio favorable.

empujando con el culo la barrera, la hice saltar; y abriendo al máximo mi boca, grité: «Consejeros, traigo buenas noticias y quiero dároslas, antes que nadie: desde que comenzó la guerra, jamás vi las sardinas tan baratas.» El Consejo, al instante, serenó su rostro; luego querían coronarme por las buenas noticias; y yo les dije como un gran secreto que al instante, para poder comprar muchas sardinas por un óbolo, se hicieran con todas las fuentes de los artesanos. Aplaudieron y se quedaron mirándome boquiabiertos.

Pero el Paflagonio, cayendo en sospecha y buen conocedor de las palabras que más gustan al Consejo, hizo una propuesta: «Señores, propongo que por las buenas noticias que nos han sido anunciadas, sacrifiquemos en acción de gracias cien bueyes a la diosa»[93]. El Consejo prestó ahora su asentimiento. Pero yo cuando vi que era derrotado por las boñigas, lancé más lejos mi jabalina, proponiendo doscientos bueyes; y les aconsejé hacer mañana a la Cazadora[94] un voto de mil cabras si las sardinas se pusieran a cien el óbolo[95]. Volvió su rostro hacia mí otra vez el Consejo. Y él, aturdido, comenzó a tartamudear; los prítanis y los arqueros[96] se pusieron a sacarle a rastras, mientras que ellos, en pie, gritaban sobre las sardinas. Pero él les suplicó que aguardaran un momento «para que os enteréis de lo que dice el heraldo de Esparta: ha llegado para hablar de la paz», decía. Pero todos, con una sola boca, gritaron: «¿Ahora de la paz? ¡En cuanto se enteraron de que estaban baratas las sardinas! No tenemos necesidad de paz: que siga la guerra.» Pedían a gritos a los prítanis que levantaran la sesión y saltaban por encima de las barreras, por todas partes.

Entre tanto, yo me escabullí y compré cilantro y todas las cebolletas que había en el mercado; y se lo daba todo gratis como acompañamiento para las sardinas, cuando no sabían cómo obtenerlo, y les hacía este favor. Y ellos me elo-

---

[93] Propone una gran fiesta con comida gratis para los ciudadanos.
[94] La diosa Ártemis.
[95] Parodia del voto hecho por los atenienses de sacrificar cabras a la Cazadora si vencían en Maratón.
[96] Policías escitas, véase el comienzo de *Los Acarnienses*.

giaban enormemente y enormemente me lanzaban bravos,
de modo que aquí estoy tras conquistar al Consejo entero
por un óbolo de cilantro.

Antístrofa.

Tuviste en todo el éxito del hombre afortunado
y el sinvergüenza halló a otro que de mayores desver-
    güenzas,
  con mucho, está adornado,
  y de engaños astutos,
    falsas palabras.
  Procura ahora luchar
  en adelante con valor:
  que somos fieles aliados
    lo sabes hace tiempo.

(*Entra furioso el* Paflagonio.)

Morcillero. Aquí llega de nuevo el Paflagonio: empuja una
  ola sorda, agita y revuelve como para tragarme. ¡Mor-
  mó![97]. ¡Qué cara dura!
Paflagonio. Si no acabo contigo, si es que me queda alguna
  de mis viejas mentiras, ojalá me caiga en pedazos por todas
  partes.
Morcillero. Me divierten tus amenazas, me río de tus
  jactancias de puro humo, bailo un *motón*[98], lanzo un quiquiriquí.
Paflagonio. No, por Deméter, si no te devoro[99]... lejos de
  esta tierra, no viviré ya más.
Morcillero. ¿Si no me devoras? Y yo, si no te bebo, aunque
  reviente después de sorberte.
Paflagonio. Te aniquilaré, sí, por la presidencia[100] que gané
  en Pilos.

---

97 Demonio femenino con que se asustaba a los niños.
98 Danza grosera, dice el escoliasta.
99 Se esperaba: «te expulso».
100 El derecho a sentarse en la primera fila del teatro, véase v. 575.

MORCILLERO. ¡Vaya con la presidencia! ¡Cómo te veré yo asistiendo a la función en la última fila, lejos de la presidencia!

PAFLAGONIO. Te voy a poner en el cepo, por el cielo.

MORCILLERO. ¡Qué irritable! Vamos, ¿qué te doy de comer? ¿Qué comerías con más gusto? ¿Una bolsa?

PAFLAGONIO. Te voy a sacar las tripas con las uñas.

MORCILLERO. Y yo te voy a des...uñar la comida en el pritaneo.

PAFLAGONIO. Te arrastraré ante el pueblo para que recibas tu castigo.

MORCILLERO. Yo también te arrastraré y te calumniaré aún más.

PAFLAGONIO. Pero, infeliz, si no te hace caso; y yo me río de él lo que quiero.

MORCILLERO. ¡Con qué seguridad crees que el pueblo es tuyo!

PAFLAGONIO. Sé qué papilla se le da.

MORCILLERO. Y luego, como las nodrizas, le alimentas mal: mascas y le das un poco, mientras que tú te tragas triple que él.

PAFLAGONIO. Y, por Zeus, gracias a mi habilidad puedo hacer al pueblo ancho y estrecho.

MORCILLERO. También mi culo tiene esa sabiduría.

PAFLAGONIO. No vas a ser conocido como el que me humilló en el Consejo. Vamos ante el pueblo.

MORCILLERO. No hay problema. Ea, camina, que nada nos estorbe.

(*Ambos se acercan a la puerta de* PUEBLO *y llaman.*)

PAFLAGONIO. Oh Pueblo, sal.

MORCILLERO. Sí, padre mío, sal, oh Pueblecito, oh queridísimo.

PAFLAGONIO. Sal fuera para que veas cómo me ultrajan.

(*Sale* PUEBLO.)

PUEBLO. ¿Quiénes son los que gritan? ¡Lejos de mi puerta! Me habéis destrozado la rama de olivo[101]. ¿Quién te trata mal, Paflagonio?

PAFLAGONIO. Me pegan por tu causa, éste y los jovencitos.

PUEBLO. ¿Por qué?

PAFLAGONIO. Porque te amo, Pueblo, y soy enamorado tuyo.

PUEBLO. ¿Y tú quién eres de verdad?

MORCILLERO. Su rival en amor que hace tiempo te ama y quiere hacerte favores, igual que otros muchos, gente distinguida y decente. Pero no podemos, por causa de éste. Porque tú eres igual que los jóvenes que tienen amantes: no aceptas a los hombres distinguidos y decentes y en cambio te entregas a los vendedores de lámparas[102], a los remendones, a los zapateros y a los vendedores de cueros[103].

PAFLAGONIO. Es que trato bien al pueblo.

MORCILLERO. Dime, ¿qué haces para ello?

PAFLAGONIO. ¿Que qué hago? Cuando los generales escaparon huyendo de Pilos, navegué hacia allí y me traje a los laconios.

MORCILLERO. Y yo, según pasaba saliendo de la casquería, mientras otro hacía hervir la olla, se la quité.

PAFLAGONIO. Bien, celebra enseguida una Asamblea, oh Pueblo, para que sepas quién de nosotros es más amigo tuyo; y decide, para que ames al vencedor.

MORCILLERO. Sí, sí, decide, pero no en la Pnix.

PUEBLO. No voy a sentarme en ningún otro sitio. Adelante. Hay que ir a la Pnix.

(*Se alejan de la casa hacia un lugar que representa la Pnix.* PUEBLO *se sienta en una roca.*)

MORCILLERO. (*Para sí.*) Desgraciado de mí, estoy perdido. Porque el viejo, en su casa, es el hombre más agudo; pero cuando se sienta en esta piedra, se queda con la boca abierta, como si estuviera cogiendo al vuelo higos secos[104].

---

[101] La *eiresione* (rama de olivo con cintas y frutos) que se colgaba en las ventanas.

[102] Referido al demagogo Hipérbolo.

[103] Todo ello referido a Cleón, seguramente.

[104] Un juego de niños. Pero hay otras interpretaciones.

Estrofa.

Es momento de soltar / todos los cordajes ya,
mostrar un valor intrépido / y palabras invencibles
con las que lo vencerás. / Pues es hombre muy astuto:
de una situación difícil / le es fácil hallar salidas.
Lánzate así, muy violento / y vehemente contra él.

Corifeo.

Ponte en guardia y antes que él se eche sobre tu navío, tú el
primero
iza tus delfines[105] y arrima tu barco.

Paflagonio.

A nuestra Señora Atenea, que protege a la ciudad,
le pido que, si he sido para el pueblo ateniense
el mejor después de Lisicles, Cinna y Salabaco[106],
pueda comer en el pritaneo como ahora por haber hecho...
nada.
Pero si te odio y no lucho yo solo por ti, protegiéndote con
mi cuerpo,
que yo perezca y me sierren en dos y me corten en correas
para los yugos.

Morcillero.

Y yo, oh Pueblo, si no soy tu amigo y te quiero, que me
despiecen
y me cuezan en un guisado. Y si no lo crees,
que sea yo rallado sobre esta tabla para un picadillo con
queso
y con un gancho por los cojones sea llevado a rastras al Cerámico[107].

Paflagonio.

Pero, ¿cómo puede haber un ciudadano, oh Pueblo, que te
ame más que yo?

---

[105] Pesos de plomo en forma de delfín que se dejaban caer sobre otro barco para hundirlo.
[106] Lisicles es el político ya citado, Cinna y Salabaco dos heteras.
[107] Al cementerio del Cerámico o al barrio de las prostitutas, cerca
de él.

¿Yo que cuando era Consejero te procuré muchísimo dinero

para el tesoro público, dando tormento a unos, estrangulando a otros, pidiendo a otros,

no preocupándome por ningún particular con tal de hacerte favores?

MORCILLERO.

Esto, oh Pueblo, nada tiene de notable: yo haré lo mismo por ti;

robaré los panes ajenos y te los serviré.

Pero que no te quiere ni es amigo tuyo, esto te lo haré ver lo primero,

sólo lo es porque se calienta a tu lumbre.

Porque de ti, que te batiste con tu espada contra los Medos en Maratón por esta tierra,

y que con tu victoria nos diste tema para mover mucho la lengua,

no se cuida de que estés sentado así de incómodo en la roca;

no como yo, que he hecho que te cosieran esto y te lo traigo. *(Le ofrece un cojín.)* Levántate

y luego siéntate muellemente, para que no desgastes el de Salamina[108].

PUEBLO.

¿Quién eres, querido? ¿Acaso un descendiente de aquellos gloriosos hijos de Harmodio?

Porque esta acción tuya es verdaderamente noble y favorable al Pueblo.

PAFLAGONIO.

¡Cómo te has mostrado amigo suyo, con pequeñas adulaciones!

MORCILLERO.

Y tú le pescaste con cebos mucho más pequeños que éste.

PAFLAGONIO.

Pues bien, si ha sido visto a algún hombre que defendiera más al pueblo

o que te quisiera más, quiero apostar mi cabeza.

---

[108] El culo de los remeros que vencieron en Salamina.

MORCILLERO.

¿Y cómo vas a amarlo tú, que viéndolo cómo vive en malas tinajas
y en nidos de buitres y en torrecitas hace ya siete años, no
le compadeces[109],
sino que tras encerrarle aquí dentro le quitas la miel?[110].
En cambio, cuando Arqueptólemo[111] traía
la paz, tú la arrojaste lejos. Y espantas a las embajadas
lejos de la ciudad, a patadas en el culo, a esas que nos invi-
tan a la paz.

PAFLAGONIO.

Para que tú imperes sobre los griegos todos. Pues está en
los oráculos
que este hombre debe un día asistir a la Heliea en Arcadia
con cinco óbolos de salario
si persevera, y de todos modos yo le alimentaré y lo cuidaré
buscando bien y canallescamente de dónde recibirá el
trióbolo.

MORCILLERO.

No te preocupas, por Zeus, de que gobierne en Arcadia,
sino de que más
robe y reciba más sobornos de las ciudades; y el pueblo
por la guerra y la niebla no vea tus maldades,
sino que por la necesidad y la miseria y el salario te mire
boquiabierto.
Pero si algún día éste, vuelto del campo, vive en paz
y tras comer sémola cobra ánimos y entra en conversación
con la aceituna,
verá de qué felicidad le privabas con tu salario;
y vendrá ya como un rústico intratable, buscando la piedra
de voto contra ti;
como lo sabes, le engañas e inventas sueños sobre él.

PAFLAGONIO.

¿No es indignante que tú digas eso de mí y me difames ante

---

109 Se refiere a los refugiados que vivían en la muralla desde el comienzo
de la guerra.
110 La riqueza. Comparación con el que castra una colmena.
111 Aludido en 327 como hijo de Hipodamo y enemigo de Cleón.

los atenienses y el Pueblo, a mí que he prestado muchos
más servicios

que Temístocles, por Deméter, a la ciudad hasta hoy?

Morcillero.

«Ciudad de Argos, escuchad lo que dice»[112]. ¿Y tú te mides
con Temístocles?

¿Un hombre que dejó llena a nuestra ciudad, que había ha-
llado cual tinaja medio vacía.

y, sobre todo, cuando ella comía le amasó el Pireo como
nuevo pastel

y sin quitar nada de los antiguos le añadió nuevos pes-
cados?

¡Y tú en cambio has conseguido hacer de Atenas una ciudad pequeña

levantando muros entre los ciudadanos y cantando oráculos, ¡tú el que se mide con Temístocles!

¡Y resulta que él es desterrado y tú te limpias los dedos con
pan de Aquiles![113].

Paflagonio.

¿No es terrible, oh Pueblo, que yo oiga estas cosas sólo porque te quiero?

Pueblo.

Cállate tú, no lances maldades. Demasiado tiempo he estado, hasta ahora, sin ver tus maquinaciones.

Morcillero.

Es muy canalla, Pueblecito, y ha hecho muchísimas maldades.

Mientras bostezas, los cogollos
ha arrancado a los magistrados[114].
Los devora con las dos manos,
vacía el tesoro a cucharadas.

Paflagonio.

No te reirás, que cual ladrón
te cogeré de tres miríadas[115].

---

[112] Cita del *Télefo* de Eurípides.

[113] Una calidad superior. Sin duda se refiere a la comida en el pritaneo.

[114] Los magistrados salientes, que rinden cuentas ante la Heliea.

[115] De treinta mil dracmas.

MORCILLERO.
¿Por qué das con el remo plano[116],
tú el más canalla para el pueblo
de los de Atenas? Yo haré ver
por Deméter —o que yo muera—
que aceptaste de Mitilena
más de cuarenta minas[117].

CORIFEO. *(Al* MORCILLERO.)
¡Oh tú que apareciste para los hombres todos como el mayor benefactor!,
envidio tu elocuencia. Pues si le atacas de este modo
serás el más grande de los griegos y tú solo tendrás
el poder en Atenas y, tridente en mano, imperarás sobre
los aliados:
con ello lograrás mucho dinero, sacudiendo y embrollando.
Y no le sueltes, ya que has hecho una presa;
le vencerás bien fácilmente, teniendo un pecho como ése.

PAFLAGONIO.
Amigos, todavía no es esto de este modo, por Posidón.
Pues yo he realizado una hazaña tal
que he cerrado la boca a todos mis enemigos
mientras quede un resto de los escudos de Pilos[118].

MORCILLERO.
Párate en los escudos: has dado presa.
Pues no debías, si es que amas al pueblo,
haber dejado que fueran colgados[119] con sus asas.
Esta es una artimaña, oh Pueblo, para que si tú quieres
castigar al hombre, no te sea posible.
Pues ves qué falange tiene de vendedores de cueros
bien jóvenes; en torno a éstos habitan los vendedores de miel
y de queso; y todos juntan sus cabezas

---

[116] Hieres el agua sin impulsar el barco.
[117] Cuatro mil dracmas. Cleón se vende por cualquier precio.
[118] Los que entregaron los espartanos prisioneros.
[119] Como ex votos. El escudo habitualmente se colgaba sin su asa (una correa de cuero) para que no pudiera usarlo alguien que se apoderara de él.

de modo que si tú refunfuñas y miras con ganas de jugar el juego del ostracismo

de noche se apoderarán de los escudos y corriendo

se harán dueños de las entradas del mercado de cebada.

PUEBLO.

¡Desdichado de mí! ¿Tienen asas? Infame,

¡cuánto tiempo hace que venías engañándome, sacudiendo así al pueblo!

PAFLAGONIO.

Querido, no seas del que habla, ni creas

que vas a encontrar nunca mejor amigo que yo, que siendo uno sólo

acabé con los conjurados y nada me pasa inadvertido

de lo que se conjura en la ciudad, pues enseguida grito.

MORCILLERO.

Te pasa igual que a los que pescan anguilas.

Cuando el lago está tranquilo, no pescan nada,

pero si remueven el fango arriba y abajo

pescan, igual que tú coges si agitas a la ciudad.

Pero dime sólo esto: tú que vendes tantos cueros,

¿has dado alguna vez a este hombre un trozo para sus zapatos, tú que dices que le amas?

PUEBLO.

No, por Apolo.

MORCILLERO. (*Al* PUEBLO.)

¿Ves cómo es? Pues yo

te he comprado un par de zapatos y te lo doy para que los uses.

(*Le da sus zapatos y* PUEBLO *se los pone.*)

PUEBLO.

Te juzgo, de entre los hombres que conozco, el mejor para el Pueblo

y el más amigo de Atenas y de mis dedos de los pies.

PAFLAGONIO.

¿No es terrible que unos zapatos puedan tanto

y que no te acuerdes de cuántos favores has recibido de mí?

Yo que

acabé con los prostituidos, borrando a Grito de la lista[120].

MORCILLERO.

¿Y no es terrible que tú te hagas de ese modo inspector de culos
y acabes con los prostituidos? No dudo de que con ellos
acabaste por envidia, para que no se hicieran políticos.
Y a este hombre le veías sin camisa, con lo viejo que es,
y jamás le consideraste digno de una con mangas
y eso que era invierno. (*A* PUEBLO.) Pues yo te doy ésta.

(*Le da la suya.*)

PUEBLO.

A Temístocles nunca se le ocurrió una cosa así.
En verdad fue sabia aquella ocurrencia, el Pireo; pero a mí
no me parece un hallazgo mayor que la camisa.

PAFLAGONIO.

¡Ay de mí! ¡Con qué trucos de mono me envuelves!
No, es lo mismo que le pasa a un hombre que está en un
banquete y le entran ganas de cagar:
uso tus maneras como si fueran unas zapatillas[121].

PAFLAGONIO.

Pues no me vas a ganar en adulaciones, pues a Pueblo
le pondré encima mi manto. Y tú fastídiate, maldito.

(*Así lo hace.*)

PUEBLO.

¡Puaf! ¿No irás a reventar a los cuervos? ¡Hueles a cuero
horriblemente!

MORCILLERO.

Adrede te ha arropado con eso, para ahogarte.
Ya antes atentó contra ti. ¿Te acuerdas de aquel tallo

---

120 Un prostituido podía perder sus derechos civiles, entre ellos el voto.

121 El comensal, en apuros, coge las zapatillas del vecino, que estaban en el suelo al pie del lecho. El Morcillero no hace sino imitar al Paflagonio.

de silfio[122] que bajó de precio?

PAFLAGONIO.

Me acuerdo en verdad.

MORCILLERO.

Adrede hizo que bajara de precio
para que lo compraran y comieran y luego en la Heliea
los jueces se mataran unos a otros a fuerza de pedos.

PUEBLO.

Sí, por Posidón, me lo contó un hombre de Capado-
cia[123].

MORCILLERO. (*Al público.*)

¿No fue entonces cuando vosotros, de recibir tantos pedos,
os quedasteis de color rojizo?

PUEBLO.

Por Zeus, que este fue un truco del Pelirrojo[124].

PAFLAGONIO.

¡Con qué chorradas me embrollas, maldito!

MORCILLERO.

Es que la diosa me ordenó vencerte con bufonadas.

PAFLAGONIO.

Pues no vas a vencerme con jactancias. (*Al* PUEBLO.) Porque yo te prometo,

Pueblo, que voy a darte, sin necesidad de que hagas nada,
un plato de salario para que lo sorbas.

MORCILLERO.

Y yo te doy un botecito con un remedio
para que te frotes las ampollitas de tus canillas.

PAFLAGONIO.

Y yo te quitaré las canas y te volveré joven.

MORCILLERO.

Mira, toma este rabo de liebre para limpiarte los ojitos.

PAFLAGONIO. (*Se arrodilla delante de* PUEBLO.)

Suénate los mocos, Pueblo, y límpiate en mi cabeza.

---

122 Planta de Cirenaica. Se usaba como condimento, pero producía dia-
rrea y ventosidades.

123 De Copro, un demo del Ática cuyo nombre significa «estiércol».

124 Pirrandro en griego. La interpretación es dudosa, a veces se ha propuesto que el pelirrojo es Cleón.

MORCILLERO.

No, en la mía.

PAFLAGONIO.

No, en la mía. *(Al* MORCILLERO.*)*

Yo haré que tú seas trierarco[125]
pagando de tu dinero:
te daré un barco ya viejo,
no dejarás de gastar
ni de hacer reparaciones;
ya me encargaré de que
te den la vela podrida.

MORCILLERO.

Está hirviendo[126]. ¡Basta, basta!
Se desborda. Hay que quitar
tizones y que espumar
sus jactancias con mi cazo[127].

PAFLAGONIO.

Bien vas a pagarlas todas,
te aplastarán los impuestos.
Pues yo haré que entre los ricos
resulte tu nombre inscrito[128].

MORCILLERO.

Yo no voy a amenazarte,
pero esta es mi imprecación:
que la sartén con las sepias
esté al fuego chirriando
y tú, a punto ya de hablar
sobre Mileto y ganar
un talento, si triunfas[129],
te apresures a que, hinchado
de sepias, puedas llegar
a la Asamblea aún a tiempo;

---

[125] El trierarco, a modo de prestación al estado, recibía un casco de navío que tenía que poner en condiciones y mantener.

[126] El verbo griego suena como una etimología de Paflagonio.

[127] Hace la mímica de sacar agua con un cazo (su mano) y verterla en la cabeza de Paflagonio.

[128] Se trata de las contribuciones extraordinarias por la guerra.

[129] La misma acusación que ya se hizo a Cleón en el v. 361.

y antes de comer, tu amigo[130]
llegue, y del talento ansioso,
  por cogerlo,
te ahogues al comer deprisa.

CORIFEO. ¡Bien por Zeus y Apolo y Deméter!

PUEBLO. También a mí me lo parece y, además, es claramente un buen ciudadano, como hasta ahora no ha habido ningún otro para la banda del óbolo[131]. En cambio tú, Paflagonio, diciendo que me amabas, me cebaste con ajos[132]. Y ahora devuélveme el anillo, porque ya no vas a ser mi tesorero.

PAFLAGONIO. (Dándoselo.) Está seguro de esto: si no me dejas ser tu administrador, aparecerá otro todavía más canalla que yo.

PUEBLO. (Examinándolo.) Imposible que este anillo sea el mío: el sello parece otro. ¿O no lo veo bien?

MORCILLERO. Déjame verlo. (Lo coge.) ¿Cuál era tu sello?

PUEBLO. Una hoja de higuera con grasa[133] de buey, muy bien cocida.

MORCILLERO. Aquí no está eso.

PUEBLO. ¿No está la hoja de higuera? ¿Qué está entonces?

MORCILLERO. Un charlatán boquiabierto arengando al pueblo sobre una roca.

PUEBLO. ¡Ah! ¡Desgraciado de mí!

MORCILLERO. ¿Qué sucede?

PUEBLO. Llévatelo lejos. No tenía el mío, sino el de Cleónimo[134]. (Le da otro anillo.) Toma éste y sé mi tesorero.

PAFLAGONIO. Todavía no, amo, te lo suplico, antes de que escuches mis oráculos.

MORCILLERO. Y los míos.

PAFLAGONIO. Si le haces caso, es fuerza que acabes convertido en un odre[135].

---

130 El que le va a buscar.
131 Para el pueblo pobre.
132 Como a los gallos de pelea.
133 Juega con la semejanza de las palabras griegas «pueblo» y «grasa».
134 Véase nota 189.
135 Desollado. Pero hay alusión a un oráculo dado a Teseo (Plu., *Thes.* 24) que comparaba a Atenas con un odre que siempre flota en el mar.

MORCILLERO. Y si le haces caso a él, es fuerza que quedes desprepuciado hasta la raíz.

PAFLAGONIO. Pues mis oráculos dicen que está destinado que imperes sobre la tierra entera coronado de rosas.

MORCILLERO. Y los míos dicen a su vez que con una túnica de púrpura bordada y con corona, en pie sobre un carro de oro, perseguirás... a Esmícita[136] y a su señor.

PUEBLO. *(Al* PAFLAGONIO.*)* Tráelos para que los escuche.

PAFLAGONIO. De acuerdo.

PUEBLO. *(Al* MORCILLERO.*)* Tráelos tu también.

PAFLAGONIO. Muy bien.

MORCILLERO. Muy bien, por Zeus, no hay problema.

(El PAFLAGONIO *entra en casa de* PUEBLO, *el* MORCILLERO *se aleja hacia la suya.)*

Estrofa.

Una muy dulce luz del día
habrá para los ciudadanos
y para nuestros visitantes
    si perece Cleón.
Y, sin embargo, a algunos viejos
de los que son más repelentes
en el bazar de los procesos[137]
    les oí que objetaban
que si llegado a ser no hubiera
Cleón poderoso en Atenas,
dos trastos útiles no habría,
    el mortero y su mano[138].

---

136 Es un hombre al cual se hace aquí mujer. Los perseguirá ante los tribunales como degenerados.
137 El «bazar» era un edificio del Pireo donde se exponían y vendían artículos de importación. Pero aquí se alude a un edificio donde se anunciaban los juicios pendientes.
138 Cleón todo lo revuelve y machaca. Así, en *La Paz,* 259 y ss. Cleón y Brásidas son las dos manos de mortero de Grecia.

Antístrofa.

Pero también, yo admiro esto
en su cerduna educación:
sus compañeros de colegio
    cuentan que muchas veces
sólo en la dórica harmonía[139]
afinaba su lira; y otra
de aprender no era capaz.
    Y dicen que el maestro,
furioso, hacía que lo expulsaran
porque ese niño otra harmonía
no podía aprender; tan sólo
la «d' oro» que aceptaba[140].

(*El* PAFLAGONIO *llega con un gran rollo de papiro, que deja en el suelo.*)

PAFLAGONIO. Mira, mira: ¡y no los traigo todos!

(*Llega el* MORCILLERO *con un rollo aún mayor, que también deja en el suelo.*)

MORCILLERO. ¡Ay, qué ganas de cagar! ¡Y no los traigo todos!
PUEBLO. ¿Qué es eso?
PAFLAGONIO. Oráculos.
PUEBLO. ¿Todos?
PAFLAGONIO. ¿Te extrañas? Pues, por Zeus, tengo todavía un cofre lleno.
MORCILLERO. Y yo un desván y dos almacenes.
PUEBLO. Veamos, ¿de quién son los oráculos?
PAFLAGONIO. Los míos son de Bacis.
PUEBLO. (*Al* MORCILLERO.) Y los tuyos, ¿de quién?

---

139 Se refiere a uno de los modos musicales, el dorio. Cada modo exigía afinar la lira en forma adecuada.
140 Intento reproducir el juego griego de palabras entre «dórico» y «recibir soborno».

MORCILLERO. De Glanis, el hermano mayor de Bacis[141].

PUEBLO. ¿Y de qué tratan?

PAFLAGONIO. De Atenas, de Pilos, de ti, de mí, de todas las cosas.

PUEBLO. Y los tuyos, ¿de qué?

MORCILLERO. De Atenas, del puré de lentejas, de los lacedemonios, de las caballas frescas, de los que miden mal la harina en los mercados, de ti, de mí. *(Aparte.)* Que ése se muerda la polla[142].

PUEBLO. Vamos, leédmelos, sobre todo aquél sobre mí que tanto me gusta, que seré «un águila entre las nubes»[143].

PAFLAGONIO. Escucha y préstame atención:

Considera, Erecteida[144], la vía de los oráculos que Apolo
   para ti
lanzó desde su santuario a través de los sagrados trípodes:
te ordenó que guardaras a ese perro sagrado de dientes afi-
   lados
que en tu defensa siempre enseñando los dientes y ladran-
   do feroz
salario te dará. Pero si no haces esto, perecerá sin duda:
pues grajos numerosos por odio contra él lo matan a graz-
   nidos.

PUEBLO. La verdad, por Deméter, es que no sé lo que quiere decir el oráculo. ¿Qué tienen que ver entre sí Erecteo, los grajos y el perro?

PAFLAGONIO. Yo soy el perro, porque ladro en tu defensa; y Febo te dijo que me guardaras a mí, al perro.

MORCILLERO. No es eso lo que quiere decir el oráculo, sino que ese perro te come los oráculos como si fueran un puré. Pues yo tengo la verdad sobre ese perro.

---

[141] Sobre Bacis, cfr. nota 18. Glanis es un nombre imaginario, significa «siluro».

[142] En vez de «el labio».

[143] Un oráculo referido a Atenas, en que se profetizaba el triunfo de la ciudad y al que Aristófanes se refiere varias veces.

[144] Descendiente de Erecteo, esto es, ateniense.

Pueblo. Dilo, pero primero voy a coger una piedra para que no me muerda el oráculo del perro.

Morcillero.

Considera, Erecteida, a un perro Cerbero que es tratante de esclavos:
te adula con su cola mientras estás comiendo y permanece atento
para zamparse el plato si es que acaso a algún lado distraído tú miras;
visita cada poco la cocina y a ocultas cual un perro que es, de noche las tajadas y las islas también se dedica a lamer.

Pueblo. Es mucho mejor, por Posidón, oh Glanis.

Paflagonio. Querido, escucha esto y luego decide:

Existe una mujer que parirá un león en la sagrada Atenas:
en defensa del pueblo contra muchos mosquitos entablará batalla
como alguien que defiende a sus cachorros: da protección a éste
un muro construyendo de madera y en él unas torres de hierro[145].

¿Sabes lo que quiere decir?

Pueblo. Yo no, por Apolo.

Paflagonio. El dios te dijo claramente que me protegieras: soy para ti el león.

Pueblo. ¿Y cómo no había caído yo en que te habías convertido en Antileón?[146].

Morcillero. Hay una cosa del oráculo que adrede no te en-

---

[145] Hay alusiones a varios oráculos conocidos, entre ellos al que recomendaba a los atenienses, cuando la invasión de Jerjes, retirarse a unos «muros de madera» (la flota).

[146] Es «en lugar de un león» y, al tiempo, el nombre de un tirano de Calcis.

seña: qué es el muro de hierro y de madera en el que Lo-
xlas[147] te ordenó guardar a érte

PUEBLO. ¿En qué sentido dijo eso el dios?

MORCILLERO. Te ordenó meterlo en un cepo de cinco agujeros[148].

PUEBLO. Ese oráculo creo que va a cumplirse.

PAFLAGONIO.

No le prestes oído: es que contra mí graznan cornejas envi-
diosas.
Tú prefiere al halcón, recordando en tu mente que fue
quien para ti
te trajo encadenados de los lacedemonios... a las corvi-
nas[149].

MORCILLERO.

A ese golpe arriesgose sin duda el Paflagonio porque se
emborrachó.
Cecrópida[150] insensato, ¿por qué crees grande esa acción?
También una mujer puede llevar un peso si un hombre se
lo carga[151],
mas no podría luchar: en verdad, cagaría si luchar in-
tentara[152].

PAFLAGONIO.

Pon atención a esto, «Pilos antes de Pilos» que decía el
oráculo:
Antes de Pilos, está Pilos...

---

[147] Apolo.

[148] Para meter pies, manos y cabeza.

[149] En vez de «jóvenes» introduce una palabra que suena a «cuervos», pero
se refiere a un pez.

[150] Descendiente de Cécrope, esto es, ateniense.

[151] Hay alusión a un pasaje de la *Pequeña Ilíada*. El fondo es claro: Cleón se
adjudicó el mérito de Demóstenes y Nicias.

[152] Juego de palabras intraducible.

PUEBLO.

¿Qué significa «antes de Pilos»?[153].

MORCILLERO.

A las bañeras[154] dice que va a echarles la mano en la casa de baños.

PUEBLO. ¿Y yo voy a quedarme sin bañar hoy?

MORCILLERO. Es que ése se quedó con nuestras bañeras. Pero este oráculo que viene ahora es sobre la flota: debes prestarle mucha atención.

PUEBLO. Se la presto; pero tú lee cómo va a pagarse la soldada a mis marineros, lo primero.

MORCILLERO.

Egeida[155], ten cuidado con ese zorra-perro,
es pérfido, veloz, un traidor ventajista, con muchísimas mañas.
¿Sabes qué es esto?

PUEBLO.   Filóstrato el zorra-perro[156].

MORCILLERO. No es eso lo que dice, sino que él pide siempre trirremes rápidos que recojan el tributo; y Loxias te prohíbe dárselos.

PUEBLO. ¿Y cómo un trirreme va a ser un zorra-perro?

MORCILLERO. ¿Qué cómo? Porque el trirreme y el perro son rápidos.

PUEBLO. ¿Y cómo al perro se le añadió «zorra»?

MORCILLERO. Comparó a los soldados con cachorros de zorra, porque se comen los racimos de las viñas.

---

153 Se trata de una frase proverbial relativa a los tres Pilos que pretendían ser el homérico. Si se trae aquí es por la insistencia de Cleón en recordar siempre su victoria en Pilos.

154 La palabra suena en griego parecida a Pilos.

155 Ateniense (Egeo es el padre de Teseo).

156 Era el mote de Filóstrato, dueño de una casa de prostitución.

PUEBLO. Vaya. ¿Y dónde está la soldada para esos zorritos?
MORCILLERO. Yo se la daré en tres días[157].

Escucha aún el oráculo en que el hijo de Leto[158] te dijo que
    evitaras
el puerto de Curvada[159] porque no te engañara.

PUEBLO. ¿Y qué curvada es ésa?
MORCILLERO.
                                        A la mano de ése consideró
    Curvada;
y con razón, porque suele decir: «da algo a la curva-
    da»[160].

PAFLAGONIO.

Pues no tiene razón, pues con Curvada quiso referirse el
    dios Febo
enigmáticamente y con razón a la mano de Diopites[161].
Pero tengo también en relación contigo un oráculo alado:
que llegas a ser águila y sobre el mundo todo tienes poderes
    regios.

MORCILLERO.

También lo tengo yo: sobre la tierra, sí, y también el Mar
    Rojo
y dice que en Ecbátana juzgarás mientras comes galletitas
    saladas.

---

157 Cleón pidió tres semanas para vencer en Pilos, el Morcillero tres días
para conseguir el dinero para la soldada.
158 Apolo.
159 Cilene, en Élide. Aristófanes usa el término porque en griego suena a
«curvo», véase lo que sigue.
160 Cleón tiende la mano curvada pidiendo a todo el mundo.
161 Político ateniense bastante conocido, autor del decreto contra los impíos. Quizá se le acuse de corrupción o quizá tenía una mano deformada.

PAFLAGONIO.

Pues yo he tenido un sueño y en él me parecía que la diosa
   en persona
sobre el pueblo ateniense vertía con un cazo abundancia y
   salud.

MORCILLERO.

Por Zeus, también yo; y a mí me parecía que la diosa en
   persona
bajaba de la acrópolis y una lechuza estaba posada sobre
   ella;
y que luego vertía sobre nuestras cabezas con ayuda de
   un jarro
ambrosía sobre ti y sobre este otro una salmuera al ajo.

PUEBLO. ¡Oh, oh! Así que no había nadie más sabio que Glanis. *(Al* MORCILLERO.) Y ahora me confío en ti para que
   cuides de este viejo y me eduques de nuevo.

PAFLAGONIO. Todavía no, te lo suplico; espera, porque yo
   voy a darte cebada y la subsistencia de cada día.

PUEBLO. No soporto oír hablar de cebada, porque ya muchas
   veces me engañasteis tú y Túfanes[162].

PAFLAGONIO. Pues ahora te voy a procurar harina de cebada
   ya cocinada.

MORCILLERO. Y yo tortitas bien amasadas y el plato principal
   asado: no tienes que hacer otra cosa sino comer.

PUEBLO. Concluid de una vez lo que vayáis a hacer, porque a
   aquel de los dos que más favores me haga, a ése le entrego
   las riendas de la Pnix.

PAFLAGONIO. Corro dentro el primero. *(Sale.)*

MORCILLERO. No, lo hago yo. *(Sale.)*

---

[162] Se alude a distribuciones de grano por parte del estado para aliviar la
miseria de la guerra; se acusa a Cleón y su amigo Túfanes de haber incumpli-
do promesas a este respecto.

Estrofa.

CORIFEO.
   Tienes, oh Pueblo, un hermoso
   imperio, porque los hombres
   todos te tienen terror
      igual que a un tirano.
   Pero es fácil seducirte:
   te gusta ser adulado,
   te gusta ser engañado;
   y ante el primero que habla
   abres la boca: tu espíritu
      siempre está de viaje.
PUEBLO.
   No hay cordura en los cabellos
   vuestros, puesto que pensáis
   que no estoy cuerdo: de grado
      yo me hago el imbécil.
   Porque yo disfruto mucho
   con mi papilla diaria
   y me gusta alimentar
   a un ladrón cual demagogo[163];
   cuando estoy harto de él
      le doy la patada.

Antístrofa.

CORIFEO.
   Haces con esto muy bien
   si de verdad una astucia
   en el carácter, cual dices,
      tuyo existe grande:
   si a ésos con plena conciencia
   cual víctimas del estado
   en la Pnix crías y cuando
   ves que no te queda carne,

---

[163] Jefe del Pueblo (título no oficial).

de entre ellos al que está gordo
matas y te comes.

PUEBLO.

Considerad con qué astucia
les busco las vueltas yo
a esos que creen ser sabios
y de mí burlarse.
Los vigilo cada día
sin que parezca que veo
que están robando; y más tarde
les obligo a que vomiten
todo lo que me han robado:
mi embudo los sonda[164].

(*Entran el* PAFLAGONIO *y el* MORCILLERO, *cada uno con un cesto,
que dejan en el suelo.*)

PAFLAGONIO. (*Empujando al* MORCILLERO.) Vete lejos a un
país feliz[165].

MORCILLERO. (*Empujando al* PAFLAGONIO.) Eso tú, desgraciado.

PAFLAGONIO. Oh Pueblo, aquí estoy a tu disposición hace un
tiempo tres veces viejo, deseoso de hacerte favores.

MORCILLERO. Y yo diez veces y doce y mil y desde antes del
tiempo viejo y más y más viejo.

PUEBLO. Y yo, que estoy esperando desde un tiempo treinta
mil veces viejo, os aborrezco a los dos desde antes del tiempo viejo y más y más viejo.

MORCILLERO. ¿Sabes lo que vas a hacer?

PUEBLO. Lo sabré si tú me lo dices.

MORCILLERO. Danos la señal para correr desde la línea de salida a mí y a ese individuo, para que podamos hacerte favores en igualdad de condiciones.

PUEBLO. Así hay que hacer. Partid.

MORCILLERO y PAFLAGONIO. (*Colocándose como para correr en el
estadio.*) Aquí estamos.

---

[164] Es el embudo de la urna, por el que se echan los votos en ella.
[165] Eufemismo por «a los cuervos».

PUEBLO. Corred.

MORCILLERO. *(Al PAFLAGONIO.)* No te permito estorbarme.

PUEBLO. Gran felicidad voy a tener hoy por obra de mis enamorados, por Zeus, o seré bien difícil.

PAFLAGONIO. *(Ofreciendo a PUEBLO una silla que ha sacado.)* Ya ves, te saco una silla el primero.

MORCILLERO. *(Ofreciendo su tabla de carnicero.)* Pero no una mesa. Yo soy más primero.

PAFLAGONIO. Mira, te traigo esta tortita, amasada con la cebada de Pilos[166].

MORCILLERO. Y yo unos panes sin su miga por obra de la diosa con su mano de marfil[167].

PUEBLO. ¡Qué dedo más largo resulta que tenías, diosa!

PAFLAGONIO. Y yo puré de guisantes de buen color, hermoso; lo hizo en su mortero la misma Palas Pilémaco[168].

MORCILLERO. *(Trayendo una olla.)* Oh Pueblo, claramente te protege la diosa. *(Pone la olla sobre la cabeza de PUEBLO.)* Y ahora pone sobre ti una olla llena de caldo[169].

PUEBLO. ¿Crees que todavía existiría esta ciudad si ella no pusiera sobre nosotros abiertamente su olla?

PAFLAGONIO. Esta raja de pescado te la ha entregado la que atemoriza a los ejércitos[170].

MORCILLERO. Y la del padre poderoso una carne cocida con su salsa y un trozo de tripas, de cuajar y de panza.

PUEBLO. Hizo muy bien, en recuerdo del peplo[171].

PAFLAGONIO. Pues la del penacho de Gorgona te invitó a comer este pastel alargado, para que alarguemos bien los remos al bogar.

MORCILLERO. Coge también esto.

PUEBLO. ¿Y qué haré con estas tripas?

---

166 Hallada al conquistar la isla de Esfacteria.

167 El pan así preparado se usaba para echar en él puré o caldo. Se alude a la estatua de Fidias.

168 Epíteto de Atenea: «la que lucha en la puerta». Pero el Paflagonio alude una vez más a Pilos.

169 Se esperaría: su égida.

170 Otro epíteto de Atenea, igual que los dos más que siguen.

171 El que le ofrece la ciudad en las Panateneas.

MORCILLERO. Adrede te las envió la diosa para las interiori-
dades de los trirremes[172]. Pues cuida claramente de nuestra
flota. Y ten para beber vino mezclado en proporción de
tres a dos[173].

PUEBLO. Delicioso, por Zeus. Aguanta muy bien las tres
partes.

MORCILLERO. Es que la Tritogenés[174] lo tritopartió.

PAFLAGONIO. Coge ahora de mis manos un trozo de este rico
pastel.

MORCILLERO. Y de las mías todo este pastel entero.

PAFLAGONIO. Pero no tienes de dónde darle carne de liebre y
yo sí.

MORCILLERO. ¡Ay de mí! ¿De dónde sacaré carne de liebre?
Corazón mío, inventa ahora alguna bufonada.

PAFLAGONIO. (*Enseñándole la carne de liebre.*) ¿Lo ves, infeliz?

MORCILLERO. Me trae sin cuidado. Allí vienen unos embajadores que traen bolsas llenas de plata.

PAFLAGONIO. ¿Dónde, dónde?

MORCILLERO. ¿A ti qué te importa? ¿No dejas en paz a los extranjeros? (*Quita la liebre al* PAFLAGONIO.) ¿Ves, Pueblecito,
la carne de liebre que te traigo?

PAFLAGONIO. ¡Pobre de mí! ¡Con injusticia me has quitado
lo mío!

MORCILLERO. Sí, por Posidón. También tú a los de Pilos.

PUEBLO. Dime, por favor. ¿Cómo se te ocurrió robarle?

MORCILLERO. La idea fue de la diosa, pero el robo fue mío.
Yo corrí el riesgo.

PAFLAGONIO. Y yo hice el guiso.

PUEBLO. (*Al* PAFLAGONIO.) Vete lejos: la gratitud es para el
que me ha servido.

PAFLAGONIO. Desdichado de mí, voy a ser vencido en desver-
güenzas.

---

[172] Hay un juego de palabras, pero no es claro a qué cosa concreta se refiere.

[173] Tres partes de agua y dos de vino.

[174] Epíteto de Atenea que se consideraba referida al lago Tritonis, lugar
de su nacimiento, pero que aquí se toma como conteniendo «tres». Sobre este
nombre Aristófanes inventa un verbo que traduzco por «tritopartir».

MORCILLERO. ¿Por qué no sentencias, Pueblo, cuál de nosotros dos es mejor para ti y para tu estómago?

PUEBLO. ¿Y con qué prueba le parecerá al público que juzgo sabiamente?

MORCILLERO. Voy a decírtelo. Ven, coge sin decir nada mi cesto y mira a ver qué hay dentro; y luego el del Paflagonio. Juzgarás bien, descuida.

PUEBLO. (*Coge el cesto del* MORCILLERO.) Vamos a ver, ¿qué hay dentro?

MORCILLERO. ¿No lo ves? Está vacío. Te lo he servido todo.

PUEBLO. Este cesto es del partido del pueblo.

MORCILLERO. Acércate también aquí, al del Paflagonio. ¿Ves eso?

PUEBLO. ¡Ay de mí, de qué cosas estupendas está lleno! ¡Qué pedazo de pastel se guardó! Y a mí me cortó y me dio este trocito.

MORCILLERO. Ya antes te hacía esto: te daba un poquito de lo que recibía y a sí mismo se servía lo mejor.

PUEBLO. (*Al* PAFLAGONIO.) Maldito, ¿me engañabas robándome de esta manera? Y yo te ceñí una corona y te hice regalos[175].

PAFLAGONIO. Pero yo robaba para bien de la ciudad.

PUEBLO. Quítate ahora mismo la corona, quiero ceñírsela a este otro.

MORCILLERO. Quítatela ahora mismo, canalla digno del látigo.

PAFLAGONIO. De ningún modo, porque hay un oráculo pítico que dice por qué único individuo debo ser derrotado.

MORCILLERO. Dice mi nombre y bien claramente.

PAFLAGONIO. Quiero descubrir con una prueba si tienes alguna relación con las profecías del dios[176]. He aquí mi primera pregunta: ¿a qué colegio ibas de niño?

MORCILLERO. Allí donde se chamuscan los cerdos fui educado a fuerza de puños.

PAFLAGONIO. ¿Qué dijiste? ¡Cómo el oráculo hiere mi cora-

---

175 Parodia de lírica o tragedia.
176 Sigue una escena de reconocimiento que es parodia de las de la tragedia. El Paflagonio usa un estilo trágico.

[143]

zón! Pero ea: en la palestra, ¿qué tipo de pugilato aprendías?

MORCILLERO. A perjurar y mirar cara a cara cuando robaba.

PAFLAGONIO. (*Aparte.*) ¡Oh Febo Apolo Licio! ¿Qué vas a hacerme? (*Al* MORCILLERO.) ¿Y qué oficio tuviste cuando te hiciste hombre?

MORCILLERO. Vendía morcillas y mariconeaba un poco.

PAFLAGONIO. (*Aparte.*) ¡Desdichado de mí, ya no soy nada! Pero hay aún una leve esperanza que nos sostiene. (*Al* MORCILLERO *de nuevo.*) Dime sólo esto: ¿vendías de verdad tus morcillas en el mercado o en las puertas de Atenas?

MORCILLERO. En las puertas, allí donde venden la salazón.

PAFLAGONIO. ¡Ay de mí! Se ha cumplido el oráculo del dios. Meted rodando dentro a este hombre de miseria. (*Se quita la corona.*) ¡Oh corona, vete en buena hora, te abandono a disgusto! Otro te tomará y te hará suya: no más ladrón que yo, pero tal vez más afortunado[177]. (*Da la corona a* PUEBLO, *que se la pone al* MORCILLERO.)

MORCILLERO. Zeus Helénico, tuya es la victoria.

SERVIDOR 1.º. Salud, glorioso vencedor. Y recuerda que te has hecho hombre gracias a mí. Te pido una cosa pequeña: ser para ti Fano[178], el secretario adjunto de los tribunales.

PUEBLO. Dime tu nombre.

MORCILLERO. Agorácrito, pues me crié entre las peleas del mercado[179].

PUEBLO. Pues me confío a Agorácrito y le entrego el Paflagonio.

MORCILLERO. Voy a cuidarte bien, oh Pueblo, para que reconozcas que no has visto a ningún hombre mejor que yo para la ciudad de los Atontadienses[180].

---

[177] Parodia del pasaje de la *Alcestis* (181 y ss.) de Eurípides en que la heroína se despide de su lecho nupcial.

[178] Es conocido como amigo de Cleón. Su nombre puede entenderse como «delator». El secretario adjunto presentaba las alegaciones contra los acusados.

[179] Se da una nueva etimología a un nombre de persona que sin duda significaba «elegido por la Asamblea».

[180] Deformación del nombre de los atenienses con el verbo «estar boquiabierto» o «atontado».

(Entran los tres en casa de PUEBLO.)

Estrofa.

¿Qué más hermoso en el comienzo
o en el final del canto, que de rápidos
carros a los aurigas celebrar
    —nada contra Lisístrato[181]
ni al sin hogar Tumantis para herir
    con toda la intención?
Porque, querido Apolo, éste siempre
    hambriento, con llanto abundoso,
se acoge suplicante a tu carcaj
en Pito[182] la divina / para no morir de hambre.

CORIFEO.
  Satirizar a los malos no es censurable,
es un honor para los buenos, si uno piensa bien.
Si un hombre del que se debe decir mucho y malo
fuera conocido por sí mismo, no habría tenido que men-
    cionar a un amigo.
Pero a Arignoto no hay quien no lo conozca[183],
cualquiera que sepa lo que es blanco o el nomo *ortio*[184].
Pues bien, tiene un hermano no semejante por su carácter,
el depravado Arífrades[185]. Es eso lo que quiere de grado,
porque no sólo es depravado, pues ni me habría enterado,
ni más que depravado, sino que ha inventado algo además.
Mancha su lengua con placeres vergonzosos,
lamiendo en las casas de putas el asqueroso rocío
y ensuciando su barba y removiendo los hogares[186]

---

181 La estrofa, que comienza con la imitación de un *prosodion* de Píndaro en
honor de Ártemis y Leto (fr. 89a), pasa por sorpresa a referirse a dos muertos
de hambre de Atenas.
182 Delfos.
183 Era conocido como excelente citarodo.
184 Es decir, cualquiera que conozca lo más elemental. El nomo *ortio* de
Terpandro se estudiaba al comienzo mismo de la educación musical.
185 Atacado repetidamente por Aristófanes como *cunnilingus*. Parece que
fue poeta cómico.
186 En sentido sexual.

y componiendo al modo de Polimnesto[187] y siendo amigo
   de Eonico[188].
El que no tiene horror de este hombre
nunca beberá de la misma copa que nosotros.

Antístrofa.

Ya muchas veces de nocturnas
reflexiones he estado acompañado
y he explorado de dónde fácilmente
        puede comer Cleónimo[189].
Dicen que un día mientras se zampaba
        manjares de los ricos
no quería salir de la despensa;
   y ellos así le suplicaban:
«Señor, por tus rodillas te pedimos,
sal fuera de una vez, / perdona a nuestra mesa.»

Corifeo.

Dicen que un día las trirremes[190] se reunieron a hablar
y que dijo una de ellas, la más vieja:
«¿No conocéis, doncellas, las noticias de la ciudad?
Dicen que hay uno que pide ciento de nosotras contra
   Cartago,
un mal ciudadano, Hipérbolo el vinagre»[191].
Y que a ellas les pareció que ello era terrible e intolerable
y una, que nunca se había acercado a los varones, dijo:
«Dios preservador[192], nunca tendrá poder sobre mí; si es
   preciso,
roída por la carcoma moriré aquí de vieja.»

---

[187] Poeta de Colofón del siglo VII a. C.
[188] Desconocido.
[189] Personaje motejado sobre todo por su cobardía. Aquí es tratado como
un dios maléfico que devora las provisiones.
[190] Seguimos aquí en la traducción el género femenino de la palabra en
griego, a fin de que tenga sentido el relato.
[191] Político belicista aludido en 739 como vendedor de lámparas, que llegó a ser jefe del partido popular a la muerte de Cleón.
[192] Apolo.

«Ni sobre Naufanta la de Nausón, no en verdad, oh dioses,
si es verdad que también yo fui construida de pino y de
tablas.
Y si los atenienses acuerdan eso, propongo que tomemos
asiento[193],
navegando, en el templo de Teseo o en el santuario de las
diosas venerables[194].
Pues no se va a burlar de la ciudad poniéndose al frente de
nosotras;
que navegue él solo, por su parte, a los cuervos, si
quiere,
arrastrando al mar las cajas en que vendía sus lámparas.»

(Sale el MORCILLERO, *vestido espléndidamente.)*

MORCILLERO.
Tened un silencio religioso y cerrad la boca y absteneos de
testimonios[195]
y cerrad los tribunales con los que disfruta esta ciudad;
y que por la reciente buena fortuna entone un peán el tea-
tro.
CORIFEO.
¡Oh luz de la sagrada Atenas y protector de las islas!
¿Qué buena noticia has venido a traer, por la que llenare-
mos las calles del humo de los sacrificios?
MORCILLERO.
He cocido al Pueblo y os lo he hecho hermoso de feo
que era.
CORIFEO.
¿Y dónde está ahora, tú que inventas admirables ingeniosi-
dades?
MORCILLERO.
Vive en la antigua Atenas, coronada de violetas.

---

[193] Como suplicantes.
[194] Las Euménides.
[195] De oír a los testigos para los procesos pendientes.

CORIFEO.

¿Cómo podríamos verlo? ¿Qué vestimenta lleva? ¿Qué aspecto ha tomado?

MORCILLERO.

El que tenía cuando en otro tiempo comía con Arístides y Temístocles.

Vais a verlo: pues se oye el ruido de los propileos[196] que se abren.

Ea, lanzad clamores faustos al aparecer la antigua Atenas,

maravillosa y celebrada en muchos himnos, en la que vive el glorioso Pueblo.

(Gira la plataforma y aparece un edificio que simboliza la antigua Atenas.)

CORIFEO.

¡Oh la brillante y coronada de violetas y muy envidiada Atenas,

recibe a este monarca nuestro de Grecia y de esta tierra!

(Entra PUEBLO rejuvenecido, vestido a la antigua usanza.)

MORCILLERO.

Ahí está a vuestra vista aquel Pueblo, llevando su cigarra[197], brillante con su vestido antiguo;

no oliendo a conchas, sino a paz, ungido de mirra.

CORIFEO.

Alégrate, rey de los griegos, también nosotros tomamos parte en tu alegría;

pues tu fortuna es digna de la ciudad y del trofeo de Maratón.

PUEBLO. Queridísimo, ven aquí, Agorácrito. ¡Qué bien me has hecho cociéndome!

MORCILLERO. ¿Yo? Pero, querido, no sabes cómo eras antes ni lo que hacías; si no, me creerías un dios.

---

[196] De la acrópolis.
[197] Una cigarra de oro en el pelo, según la moda antigua.

PUEBLO. Pues, ¿qué hacía yo antes? Dímelo. ¿Y qué clase de hombre era?

MORCILLERO. Lo primero, cuando alguien decía en la Asamblea: ¡Oh Pueblo, soy un enamorado tuyo y me preocupo por ti y yo solo velo por tus intereses, cuando uno empezaba por este proemio, batías las alas[198] y levantabas los cuernos[199].

PAFLAGONIO. ¿Yo?

MORCILLERO. Y luego de engañarte de este modo, abandonaba la Asamblea.

PUEBLO. ¿Qué dices? ¿Eso me hacían y yo no me daba cuenta?

MORCILLERO. Es que tus orejas se abrían como una sombrilla y luego se cerraban de nuevo[200].

PUEBLO. ¿Tan necio y chocho me había vuelto?

MORCILLERO. Y, por Zeus, si hablaban dos oradores, el uno proponiendo construir trirremes y el otro gastar ese dinero en salarios, el que hablaba de salarios ganaba la carrera al de los trirremes. Tú, ¿por qué agachas la cabeza? ¿No vas a estarte quieto?

PUEBLO. Me avergüenzo de mis faltas de antes.

MORCILLERO. No eras tú el culpable, no te preocupes, sino los que te engañaban así. Pero ahora dime, si un bufón de abogado[201] te dice: «no hay grano[202] para vosotros los jueces si no dais una condena en este juicio», ¿qué le harás, dime, al abogado?

PUEBLO. Levantándolo en alto, lo tiraré al báratro[203], tras colgarle del cuello a Hipérbolo.

MORCILLERO. Esto lo dices bien y prudentemente. Pero en lo demás, veamos, ¿cuál será tu política? Dilo.

PUEBLO. Lo primero, a cuantos reman en los trirremes, en cuanto regresen, les pagaré el salario completo.

---

[198] Como un gallo.

[199] Como un toro o un ciervo.

[200] Es decir, sólo escuchaba lo que quería oír.

[201] Un acusador nombrado por el Consejo o la Asamblea.

[202] Literalmente, «cebada». Quiere decir dinero para el salario de los jueces.

[203] Un precipicio cerca de Atenas al que se arrojaba a los criminales.

MORCILLERO. Buen favor has hecho a muchos culitos un poco desgastados.

PUEBLO. Y luego, un hoplita inscrito en una lista no será cambiado de lista por influencias, sino que allí donde estaba primero, allí quedará inscrito[204].

MORCILLERO. ¡Qué mordisco al asa del escudo de Cleónimo![205].

PUEBLO. Y ningún imberbe será autorizado a vender en el mercado.

MORCILLERO. ¿Y dónde van a vender Clístenes y Estratón?[206].

PUEBLO. Hablo de esos jovencitos, los del mercado de perfumes, los que charlatanean cosas como éstas: «Listo es Féax[207] y por sus habilidades no murió[208]. Pues es un razonador y un argumentador y un forjador de frases y claro y demoledor y reprimidor excelentemente del vociferador[209].

MORCILLERO. ¿Y no es un levantadedador[210] del charlataneador?

PUEBLO. Por Zeus, a todos ésos les voy a obligar a dedicarse a la caza dejándose de decretos.

(*A una señal del* MORCILLERO, *un esclavo trae una silla de tijera.*)

MORCILLERO. Recibe pues ahora esta silla de tijera y un chico bien cojonudo que te la lleve; y si así te parece bien, haz de él una silla de tijera.

PUEBLO. Soy feliz volviendo a las costumbres antiguas.

---

[204] Las listas se referían a clases de edad o tipos de servicio, que eran más o menos ventajosos.

[205] Parece que había querido eludir el servicio militar.

[206] Son tratados siempre de afeminados.

[207] Político contemporáneo al que nunca pudieron condenar los tribunales.

[208] Se libró de una condena de muerte.

[209] Se imita el lenguaje de los discípulos de los sofistas con sus adjetivos en *-ikós*.

[210] Se refiere al gesto obsceno de levantar el dedo índice dirigiéndose a alguien.

Morcillero. Podrás hablar cuando te entregue la paz de treinta años. Entra, Paz.

(*Entra* Paz, *una joven desnuda.*)

Pueblo. Oh Zeus muy venerado, qué hermosa. Por los dioses, ¿puedo treinta-añearla? ¿Dónde la encontraste?

Morcillero. ¿Pues no la escondía dentro el Paflagonio para que tú no te hicieras con ella? Ahora te la doy para que te vayas con ella a los campos.

Pueblo. Y al Paflagonio que hizo esto, dime el castigo que le darás.

Morcillero. Ninguno grave, sólo que hará ahora mi oficio: venderá morcillas en las puertas él solo, mezclando la carne de perro con la de asno, cual los asuntos políticos. Borracho, insultará a las putas y beberá el agua sucia de las casas de baños.

Pueblo. Bien has discurrido lo que merece, competir en los gritos con las putas y los bañeros. A cambio de esto, te invito al pritaneo y al asiento en que aquel malhechor[211] se sentaba. Ven conmigo, poniéndote este vestido color verde rana[212]; y que un esclavo se lo lleve a hacer su oficio para que puedan verlo los extranjeros[213], de los que abusaba.

(Pueblo, *el* Morcillero *vestido de fiesta, el* Servidor *y* Paz, *salen por un lado; por el otro, el* Paflagonio, *con el antiguo vestido del* Morcillero *y la tabla.*)

---

[211] Literalmente, «fármaco»: la víctima que anualmente sacrificaban algunas ciudades por sus pecados.

[212] Un vestido de fiesta.

[213] Los isleños de la Liga Marítima.

LAS TESMOFORIAS

INTRODUCCIÓN

LAS *Tesmoforias* fue presentada en escena en las Dionisias del año 411, en marzo, poco después de la *Lisístrata,* presentada en las Leneas, en enero. No sabemos nada de los rivales ni del éxito de la pieza.

Es el año del golpe de estado oligárquico y del terror, según cuenta Tucídides, VIII, 66: quizá por ello se explique la falta de temas de política interna y aun externa (salvo leves alusiones) en nuestra pieza. Es «literaria» e intelectual: hace parodia de Eurípides, de Agatón y de diversas piezas del primero; y plantea, como en *Lisístrata,* el tema de los hombres y las mujeres, defendiendo a estas últimas. En realidad, la parodía —que no excluye la admiración— de Eurípides se encuentra ya en *Los Acarnienses* y será el tema central de *Las Ranas.*

Aquí la unión de los dos temas es muy íntima. Eurípides pasaba, entre los cómicos, como el enemigo de las mujeres: según ellos, su esposa le engañaba y ese era el motivo. En realidad, en las piezas de Eurípides aparecen frecuentemente ecos de las acusaciones populares contra las mujeres: embriaguez, charlatanería, engaño, avidez sexual. Lo cual es compatible con actitudes feministas que deben atribuirse al propio poeta y a su ambiente intelectual. No hay que confundir, en un autor de teatro, lo que dicen sus personajes y lo que piensa él. Pero así son las cosas: este es el punto de partida.

Aristófanes imagina el siguiente enredo. Las mujeres, reunidas en la fiesta de las Tesmoforias en honor de Deméter y Perséfona, fiesta en que no pueden estar presentes los hombres, debaten cómo castigar a Eurípides por esos sus ataques. Y Eurípides, informado de ello y temeroso, imagina un plan para espiar a las mujeres y contrarrestar sus esfuerzos. Logra introducir a un pariente suyo (según los escoliastas, su suegro

Mnesíloco) disfrazado de mujer para espiarlas. Pero es capturado y todos los intentos de Eurípides para liberarle —intentos que se hacen con ayuda de parodias de sus tragedias— fracasan. Eurípides no tiene más remedio que ofrecer la paz a las mujeres. Y el ofrecimiento es aceptado. Hay, pues, final feliz, reconciliación, como en *Lisístrata:* las mujeres ayudan a Eurípides a despistar al escita cuando, con el nuevo truco de ofrecerle una bailarina, libera al Pariente.

No sólo la falta del tema político, también la organización de la comedia indican el carácter «moderno» de ésta. Hay un coro de mujeres que es importante, pero no *agones* con intervención del coro. Y ello es natural, porque realmente no hay héroe cómico en el sentido tradicional: el personaje que logra imponer sus tesis con medios cómicos. Ni hay antihéroe, tampoco. Las intervenciones de Eurípides son marginales: para idear el plan, tratar sin éxito de salvar al Pariente, ofrecer la paz. El Pariente fracasa: es capturado, ha de ser salvado. Y no hay heroínas femeninas, sólo hay la Mujer 1.ª y 2.ª, que son portavoces del coro.

No hay, pues, un momento de victoria, ni unas escenas de ejemplificación tras la misma. Son sustituidas por aquellas otras en que Eurípides, haciéndose pasar por Menelao o por Eco y Perseo trata de salvar al Pariente que hace de Helena o de Andrómeda. Ni hay, al final, escena de comida. Sólo la escena erótica que distrae al guardián del Pariente prisionero para que éste pueda ser liberado: es muy diferente de la escena de boda o erotismo del héroe triunfador, en otras comedias.

Es obra amable, sin virulencia. Como decíamos, la crítica de Eurípides deja traslucir la admiración. Y, en realidad, los trucos cómicos por los que el Pariente intenta salvarse o Eurípides intenta salvarlo, son bien eurípídeos, aunque sean paródicos. Es un procedimiento ya iniciado en *Los Acarnienses.* De otra parte, el enfrentamiento de hombres y mujeres tampoco deja sangre. Las mujeres se limitan a quejarse de los ataques y al Pariente, que habla de las maldades de las mujeres, lo más que se le critica es su brutal franqueza. Se aspira a una paz, que llega al final.

La obra se inicia con un largo prólogo (1-294). El diálogo entre el Pariente y Eurípides refleja humorísticamente, en un primer momento, las inquietudes intelectuales de éste, sin dar pistas a los espectadores sobre el tema: procedimiento bien aristofánico. Pero luego queda al descubierto el temor del poeta a la reunión de las mujeres. Un primer intento suyo, introducir al trágico Agatón, tratado de afeminado, en la fiesta para espiarlas, fracasa: Agatón tiene miedo, se niega.

Pero ello es pretexto para una parodia del estilo entre rebuscado y manierista de Agatón. Es entonces cuando el Pariente se ofrece para el papel de espía. Para que pueda hacerlo con éxito, es depilado y vestido de mujer por Eurípides: escena de travestido bien tradicional. Con esto, el Pariente se dirige al Tesmoforion, el templo de las dos diosas tesmóforos en que se celebra la fiesta.

Y es entonces (294) cuando entra el coro femenino, cantando la *párodos:* un himno en honor de las diosas. Viene a continuación (372 y ss.) la Asamblea decidida por las mujeres para hablar sobre Eurípides, aprovechando que están solas. Se trata de una escena que parodia los procedimientos de la Asamblea de Atenas (igual en *Los Acarnienses,* comedia con la que hay varias coincidencias). La escena se localiza, en algún momento, en la Pnix.

Como decíamos, los oradores son anónimos, a diferencia de otras comedias. Dos mujeres presentan la causa contra el poeta y la tercera mujer, que es en realidad el Pariente, le defiende, diciendo que, después de todo, sus acusaciones son ciertas. Las mujeres entran en sospecha y hay un pequeño canto coral (520 y ss.) que así lo manifiesta. La escena siguiente (531 y ss.) es un enfrentamiento entre las mujeres y el Pariente, escena que es continuada cuando (574) llega Clístenes, un afeminado, con la noticia del espía introducido por Eurípides. El Pariente es descubierto: desnudado, su pene queda a la vista de todos.

Hay luego otro pequeño coral (655 y ss.) en que el coro busca la presencia de algún otro varón escondido: inútilmente, por supuesto. Pero el Pariente ha aprovechado para apoderarse de una niña de una de las mujeres y refugiarse en el altar: escena calcada del *Télefo,* imitado ya en *Los Acarnienses.* Las amenazas de las mujeres, su decisión de quemar al refugiado, son inútiles: también morirá su rehén. Aunque se descubre que éste es, en realidad, un odre de vino, no por ello la estratagema deja de hacer efecto en las mujeres, reconocidas borrachas según el tópico.

Pero el Pariente sigue prisionero en el altar; lo único que se le ocurre para escapar es echar al mar tablillas votivas del templo de las Tesmóforos con su nombre, recurso imitado del *Palamedes* de Eurípides, del año 415.

Y aquí se detiene un momento la comedia para introducir la parábasis (776 y ss.), que es por su forma aproximadamente tradicional, pero está íntimamente unida al argumento de la comedia: esto es nuevo. Las mujeres se defienden o al menos argumentan aquello de que si son una tan gran calamidad, por qué los hombres, entonces, se casan con ellas. Proponen premios para las que paran hombres ilustres en la ciudad.

Con esto comienza la segunda parte: los intentos de salvación del Pariente por parte de Eurípides, como éste le ha prometido. Son, como hemos dicho, parodias de dos de sus tragedias, ambas del año 412: la *Helena,* tragedia conservada, y la *Andrómeda,* tragedia perdida.

En el primer intento (846 y ss.) el Pariente hace el papel de Helena en la *Helena* de Eurípides y éste el de Menelao, que viene a salvarla de Egipto, donde aquélla estaba en el reino de Proteo durante la guerra de Troya; pero las mujeres lo impiden y un prítanis que llega ordena a un arquero escita amarrarlo a un poste. Tras un coral (947 y ss.) viene el segundo intento (1001 y ss.): el Pariente es ahora Andrómeda, encadenada a la roca y a punto de ser devorada por un monstruo. Eurípides es, sucesivamente, Eco, que dialoga con Andrómeda, y su salvador Perseo. Pero el arquero escita (cuyo griego defectuoso se imita) frustra el intento.

Finalmente, como ya se ha indicado, Eurípides ofrece la paz a las mujeres con tal de que dejen escapar al Pariente y éstas aceptan. Pero el escita es obstinado y Eurípides ha de emplear contra él un nuevo truco: ofrecerle una bailarina y distraerle así. El Pariente y Eurípides escapan y el coro protege su huida, quedando burlado el escita. Es el final feliz. Pero Eurípides no es realmente el héroe de la pieza y, para lograr liberar al Pariente, ha tenido que pactar con el coro de mujeres el fin de las hostilidades.

PERSONAJES

PARIENTE de Eurípides
EURÍPIDES
CRIADO de Agatón
AGATÓN, poeta trágico
MUJER HERALDO
MUJER 1.ª
MUJER 2.ª
CLÍSTENES, afeminado ateniense
PRÍTANIS
ARQUERO, un policía escita

(La escena representa una plaza ante la casa del trágico AGATÓN, *a la derecha, y el templo de las diosas Tesmóforos, Deméter y Perséfona, a la izquierda. Por la derecha entra corriendo y angustiado* EURÍPIDES *y detrás el* PARIENTE, *un viejo que cojea y apenas puede seguirle.)*

PARIENTES DE EURÍPIDES. Oh Zeus, ¿es que va alguna vez a aparecer por fin la golondrina?[1]. Este individuo va a matarme a fuerza de correr de un sitio a otro desde la misma aurora. ¿Me dejas preguntarte, antes de que termine de echar el bazo fuera, a dónde me estás llevando, Eurípides?

EURÍPIDES. No tienes por qué oír todo lo que enseguida tú mismo vas a ver[2].

PARIENTE. ¿Qué estás diciendo? Repítelo. ¿No tengo por qué oír?

EURÍPIDES. No aquello que vas a contemplar.

PARIENTE. ¿Ni tengo por qué ver...?

EURÍPIDES. No aquello que has de oír.

PARIENTE. ¿Qué consejos son ésos? Pero hablas con ingenio. ¿No estás diciendo que no debo ni oír ni ver?

EURÍPIDES. Es que la naturaleza de lo uno y de lo otro es diferente.

PARIENTE. ¿Del no oír y el no ver?

EURÍPIDES. Sábelo bien.

---

[1] La golondrina anuncia la primavera y la fiesta a que se refiere la comedia es en octubre/noviembre. Aquí simboliza el fin de las calamidades, un futuro mejor.

[2] En todo lo que sigue Eurípides se expresa como un físico o un sofista interesado en el problema de la percepción por los sentidos.

PARIENTE. ¿Cómo que es diferente?

EURÍPIDES. Quedaron separadas de este modo en otro tiempo. El Éter[3], cuando en el principio de los tiempos quedó diferenciado y engendró dentro de sí mismo seres dotados de movimiento, creó el ojo lo primero a imitación del disco del Sol; e hizo los agujeros del oído a la manera de un embudo.

PARIENTE. ¿Por causa del embudo, entonces, no voy a oír ni a ver? Pero, por Zeus, me alegro de aprender esta nueva ciencia. ¡Cosa divina es el trato con los doctos!

EURÍPIDES. De mí vas a aprender muchas cosas como éstas.

PARIENTE. ¿Y cómo podría yo aprender, además de esa ciencia, a ser cojo[4] de las dos piernas?

EURÍPIDES. Ven y presta atención.

PARIENTE. Aquí me tienes.

EURÍPIDES. ¿Ves esa puertecita?

PARIENTE. Sí, por Heracles, claro que sí.

EURÍPIDES. Cállate.

PARIENTE. Callo la puertecita.

EURÍPIDES. Escucha.

PARIENTE. Escucho y callo la puertecita.

EURÍPIDES. Ahí vive el famoso Agatón[5], el autor de tragedias.

PARIENTE. ¿Qué Agatón? Hay un Agatón... ¿Uno moreno, fuertote?

EURÍPIDES. No, otro distinto.

PARIENTE. Jamás le he visto. ¿Es el barbudo?

EURÍPIDES. ¿Jamás le has visto?

PARIENTE. Por Zeus, no que yo sepa.

EURÍPIDES. Pues la verdad es que te lo has tirado ya, pero se-

---

[3] Son frecuentes en Eurípides (aunque no faltan fuera de él) las invocaciones al Éter, considerado de naturaleza divina; véase más abajo v. 272. Pero algunos veían en especulaciones como ésta una prueba de ateísmo.

[4] Se queja de la larga caminata, pero alude también, quizá, a los héroes cojos de Eurípides, de que hablan *Los Acarnienses.*

[5] Después de Esquilo, Sófocles y Eurípides, Agatón era el más famoso de los trágicos griegos; Platón se ocupa de él en el *Banquete,* que recoge la celebración de una victoria suya. Sus mayores novedades fueron argumentos inventados y no tradicionales, corales independientes del tema de la obra, música y lenguaje «modernos». Aquí se le critica como afeminado.

guro que no te has dado cuenta. *(Se abre la puerta y sale un* CRIADO *de* AGATÓN *con un brasserillo y unas ramas de mirto.)* Vamos a escondernos, que sale un criado suyo con fuego y unas ramas de mirto. Sin duda va a hacer un sacrificio por el éxito de la tragedia de su amo.

CRIADO.

Guarde silencio el pueblo todo,
cierre la boca, pues habitan
las Musas dentro de la casa
    del amo y poetizan.
Retenga el soplo el calmo Éter,
la ola marina no resuene
glauca.

PARIENTE. ¡Bombáx!
EURÍPIDES. Calla. ¿Qué está diciendo?
CRIADO.

Duerman las tribus de las aves
y de las fieras montaraces
se estén quietas las patas...

PARIENTE. ¡Bombalobombáx!
CRIADO.

Pues va Agatón el exquisito,
nuestro señor...

PARIENTE. ¿A tomar por el culo?
CRIADO. ¿Quién ha hablado?
PARIENTE. El Calmo Éter.
CRIADO.
A asentar los puntales de su drama.
Curva las nuevas llantas de sus versos,
aplica el torno, pega melodías,
acuña frases, juega a las palabras,
funde igual que la cera, redondea,
mete en un molde

[163]

PARIENTE.
                    y mariconea.
CRIADO. ¿Qué rústico se acerca a este recinto?
PARIENTE.

Uno que está dispuesto, en el recinto
tuyo y de tu exquisito poetilla
poniéndolo redondo y apretado
meter este pito en el molde.

CRIADO. De jovencito eras sin duda deslenguado, anciano.

(*Al* PARIENTE.)

EURÍPIDES. Querido, manda a paseo a ése y llámame a Agatón, que salga como sea.
CRIADO. No son precisas súplicas, él solo va a salir: está empezando a componer los coros. Y como es invierno, el curvar las estrofas no le resulta fácil si no lo hace fuera, al Sol.
EURÍPIDES. ¿Y yo qué hago?
CRIADO. Espera, que ya sale.

(*El* CRIADO *se mete en casa de* AGATÓN.)

EURÍPIDES. Oh Zeus, ¿qué te propones hacer hoy conmigo?
PARIENTE. (*Aparte.*) Por los dioses, quiero averiguar qué asunto es éste. (*A* EURÍPIDES.) ¿Por qué gimes? ¿Por qué te desesperas? No deberías ocultármelo, soy tu pariente.
EURÍPIDES. Una enorme desgracia me han amasado ya.
PARIENTE. ¿Cuál?
EURÍPIDES. En este día va a decidirse si vive o es hombre muerto Eurípides.
PARIENTE. ¿Cómo? Hoy no tienen sesión los tribunales ni hay reunión del Consejo: es fiesta, el día del medio de las Tesmoforias.
EURÍPIDES. Pues esto es lo que temo que va a acabar conmigo. Las mujeres se han conjurado contra mí y van a celebrar

una asamblea sobre mí en el templo de las diosas Tesmóforos, Deméter y su hija, para votar mi muerte.

PARIENTE. ¿Por qué?

EURÍPIDES. Porque escribo tragedias y hablo mal de ellas.

PARIENTE. Por Posidón, que sufrirías justo castigo. ¿Pero qué
recurso tienes para salvarte?

EURÍPIDES. Convencer a Agatón, el poeta trágico, para que
venga al templo de las Tesmóforos.

PARIENTE. ¿Para hacer qué? Cuéntamelo.

EURÍPIDES. Para que asista a la Asamblea y si hace falta haga
allí mi defensa.

PARIENTE. ¿A cara descubierta o ocultándose?

EURÍPIDES. Ocultándose, vestido de mujer.

PARIENTE. La cosa es ingeniosa y muy propia de ti. Pues
cuando hay que hacer trucos, nos llevamos el pastel[6].

(La plataforma giratoria gira y saca a AGATÓN *en su lecho, con vestido femenino color azafrán y rodeado de objetos de toilette femenina.)*

EURÍPIDES. Calla.

PARIENTE. ¿Qué pasa?

EURÍPIDES. Sale Agatón.

PARIENTE. ¿Dónde está?

EURÍPIDES. ¿Que dónde está? Ese que sacan en el giratorio.

PARIENTE. Sin duda que soy ciego. No veo a hombre ninguno, sólo veo a la Cirene[7].

(Suena la flauta.)

EURÍPIDES. Calla: se prepara a cantar.

PARIENTE. ¿Sus campos de hormigas?[8]. ¿O qué tararea?

AGATÓN. *(Hace el papel de corifeo masculino de un coro.)*

---

[6] Como el vencedor en ciertos juegos.

[7] Una prostituta.

[8] Símil para expresar el carácter tortuoso y sutil de la nueva música. Agatón, haciendo a veces de coro masculino o femenino, va a cantar un peán en
honor de Apolo y Ártemis que responde a estas características.

De las dos diosas subterráneas sacra
antorcha, oh doncellas, recibiendo,
con libre corazón danzad cantando

(Hace el papel de coro femenino.)

¿Para qué dios danza este coro?
Di su nombre. Lo mío es la obediencia
    para rendir culto a los dioses.
Mas ea, oh Musas, celebrad
al que dispara el áureo arco,
Febo el dios, que construyó los muros
de Troya junto al río Simunte.

Disfruta de estos bellos cantos
Febo, que en músicos certámenes
    das el premio sagrado.

(Como corifeo masculino.)

A la doncella de los montes,
Ártemis cazadora, celebrad.

(Como coro femenino.)

Te sigo en mi canto, a la ilustre
hija de Leto cuando ensalzo,
    a Artemis la virgen.

y a Leto y los sones asiáticos,
cuya cadencia sigue el pie,
    danzas de Gracias frigias.

(Como coro masculino.)

A Leto divina celebro
y la cítara madre de himnos,
    que honran voces viriles.

(*Como corifeo masculino.*)

Brilló una luz en sus divinos
ojos, cruzó nuestra mirada
   fugaz. Por causa de ello
el dios Febo celebró.

(*Como coro.*)

Salud, feliz hijo de Leto.

PARIENTE. ¡Qué hermosa es la canción, oh diosas del Amor![9].
Y sabe a hembra y a besos con la lengua y a tornillo: tanto
que, al escucharla, bajo el mismo trasero me entró un hor-
miguillo. Jovencito —si es que eres uno— quiero hacerte
unas preguntas a la manera de Esquilo en la *Licurgia*[10]:
¿De dónde sale esa varoncita? ¿Cuál es tu patria? ¿Cuál tu
vestimenta? ¿Cuál el embrollo de tu vida? ¿Qué le dice una
lira a un vestido color azafrán? ¿Qué una pelliza a una redecilla? ¿Qué hacen juntos la alcuza del aceite del atleta y
un sujetador? ¿Qué pareja forman un espejo y una espada?
¿Te crías como un hombre, hijo? ¿Dónde tienes el pito?
¿Dónde la túnica de hombre? ¿Dónde el calzado de Laconia? ¿O te crías mujer? Entonces ¿dónde están las tetitas?
¿Qué dices? ¿Por qué callas? ¿O debo sacar quién eres de tu
canción, ya que tú no quieres explicármelo?

AGATÓN. Anciano, anciano, he escuchado el reproche que
viene de tu envidia, pero no me he inmutado. Yo llevo mis
vestidos de acuerdo con mi espíritu. Un poeta según las
piezas que va a escribir, así debe comportarse. Por ejemplo,
si uno escribe tragedias de tema femenino, su cuerpo debe
participar de las maneras de ellas.

---

  [9] Literalmente, Genetílides, diosas del amor y la fecundidad asocia-
das a Afrodita y a las que se rendía culto en el promontorio de Colias, en el
Ática.
  [10] En esta tetralogía de tema dionisiaco de Esquilo, el dios Dioniso recibía
este epíteto (en los *Edonos,* la primera pieza, Fr. 61 N.). Su aspecto afeminado
era el mismo de las *Bacantes* de Eurípides.

PARIENTE. Entonces cuando escribes una *Fedra*, ¿cabalgas para hacer el amor?

AGATÓN. Pero si uno escribe piezas de tema masculino, ya tiene esto en su persona. En cambio, lo que no poseemos, la imitación nos ayuda a conseguirlo.

PARIENTE. Entonces cuando escribas una pieza de sátiros, llámame para ayudarte por detrás, llevándola bien tiesa.

AGATÓN. De otra parte, no es propio de las Musas ver a un poeta rústico y peludo. Fíjate en el famoso Íbico y en Anacreonte de Teos y en Alceo, los que cocinaron la harmonía[11]: llevaban diadema y vivían con relajo, a la manera de los jónicos. Y Frínico —a éste le has oído tú— era hermoso y hermosamente se vestía: pues por esto eran hermosas sus tragedias. Es fuerza que uno escriba de acuerdo con su naturaleza.

PARIENTE. Por eso Filocles[12] como es feo escribe cosas feas y Jenocles, como es malo, escribe cosas malas y Teognis, como es frío, escribe cosas frías.

AGATÓN. Pura necesidad. Como sé esto, me he esmerado en arreglarme.

PARIENTE. ¿Y cómo, por los dioses?

EURÍPIDES. Deja ya de ladrar: también yo era así cuando era igual de joven, en el tiempo en que empezaba a hacer tragedias.

PARIENTE. La verdad, por Zeus, no envidio tu educación.

EURÍPIDES. Bueno: déjame que diga por lo que vine.

PARIENTE. Dilo.

EURÍPIDES. Agatón, «es cosa de hombre sabio, aquel que en breves frases es capaz de resumir muchos discursos»[13]. Herido por un nuevo infortunio vengo a ti cual suplicante.

---

[11] Los tres primeros ejemplos son tomados de la poesía erótica arcaica, mientras que Frínico es un trágico ateniense anterior a Esquilo y muy admirado por Aristófanes.

[12] Son tres trágicos criticados por Aristófanes, aunque se nos dice que el primero ganó el concurso del año 429 en que se presentó el *Edipo rey* y el segundo el del 415 en que se presentaron *Las Troyanas*. Teognis es calificado de frío con frecuencia.

[13] Cita del *Eolo* de Eurípides (Fr. 28 N.).

AGATÓN. ¿Qué deseas?

EURÍPIDES. Las mujeres van a poner fin a mi vida hoy en las Tesmoforias porque hablo mal de ellas.

AGATÓN. ¿Qué ayuda puedo yo prestarte?

EURÍPIDES. La que más. Si sin que se den cuenta te sientas entre las mujeres, como si fueras una de ellas y hablas a mi favor, me salvarás sin duda alguna. Sólo tú puedes hablar de modo digno de mí[14].

AGATÓN. ¿Y cómo no te defiendes tú mismo, ya que estás aquí?

EURÍPIDES. Te lo voy a explicar. Primero, me conocen. Lo segundo, estoy canoso y tengo barba, tú en cambio tienes un rostro lindo, eres pálido, estás afeitado, tienes voz de mujer y eres delicado y guapo.

AGATÓN. ¡Eurípides!

EURÍPIDES. ¿Qué ocurre?

AGATÓN. Escribiste una vez: «Gozas al ver la luz: ¿crees que no goza tu padre?»

EURÍPIDES. Sí que lo escribí[15].

AGATÓN. Pues no esperes entonces que yo me eche encima tu desgracia. Estaría loco. Lo que es tuyo, pechía con ello como cosa propia. Pues las desgracias no es justo soportarlas con recursos ingeniosos sino con paciencia[16].

PARIENTE. La verdad, mariquita, eres un culo ancho, no con palabras sino con tolerancia.

EURÍPIDES. ¿Y por qué tienes ese miedo de ir allí?

AGATÓN. Moriría más cruelmente aún que tú.

EURÍPIDES. ¿Cómo?

AGATÓN. ¿Qué cómo? Creerían que pretendía robar las obras nocturnas de las mujeres y hacer rapiña del disfrute del sexo propio de ellas.

PARIENTE. «Robar» dices; por Zeus, más claro es «ser jodido». Pero el pretexto tiene buena apariencia, por Zeus.

---

[14] Aristófanes considera semejante el estilo de los dos poetas.

[15] Cita de la *Alcestis* de Eurípides, 691. Feres se lo dice a su hijo Admeto, que le propone sacrificarse por él.

[16] Hay que ser sufridor, tener fortaleza de ánimo. Pero a continuación la palabra se toma en otro sentido, con referencia a la homosexualidad pasiva.

EURÍPIDES. ¿Qué? ¿Vas a hacerlo?

AGATÓN. No lo esperes.

EURÍPIDES. ¡Tres veces desdichado, estoy perdido!

PARIENTE. Eurípides, mi querido pariente, no te traiciones a ti mismo.

EURÍPIDES. ¿Qué hago, entonces?

PARIENTE. Manda a éste a llorar lejos y dispón de mí para todo lo que quieras.

EURÍPIDES. Pues hala, ya que te ofreces, quítate ese manto.

PARIENTE. Ya está en el suelo. Pero ¿qué vas a hacerme?

EURÍPIDES. Raparte ésta (*señala su barba*) y chamuscarte lo de abajo.

PARIENTE. Hazlo, si te parece. O no debía haberme ofrecido.

EURÍPIDES. Agatón, tú llevas siempre contigo la navaja de afeitar. Préstanos una navaja.

AGATÓN. Cógela tú mismo, de aquí, del estuche.

EURÍPIDES. Eres muy amable. (*Al* PARIENTE.) Siéntate: hincha el carrillo derecho.

PARIENTE. ¡Ay!

EURÍPIDES. ¿Por qué chillas? Voy a meterte un tarugo si no te callas.

PARIENTE. ¡Attataí! ¡attataí!

EURÍPIDES. ¿A dónde corres?

PARIENTE. Al templo de las diosas venerables[17] a pedir asilo. No voy a quedarme aquí, por Deméter, mientras me hacen picadillo.

EURÍPIDES. ¿Y no vas a resultar ridículo con la mitad de la cara «aligerada»?

PARIENTE. Poco me importa.

EURÍPIDES. No me traiciones, por los dioses, ven.

PARIENTE. ¡Desgraciado de mí!

EURÍPIDES. Estate quieto, levanta la cabeza.

PARIENTE. ¡Mu, mu!

EURÍPIDES. ¿Por qué «mu»? Todo ha quedado estupendo.

PARIENTE. Ay de mí, desgraciado, voy a ser de las tropas ligeras[18].

---

[17] Las Euménides.

[18] El término designa lo mismo al hombre de piel lisa, sin vello, que al infante ligeramente armado.

EURÍPIDES. No te preocupes, vas a resultar muy guapo. (*Le ofrece un espejo.*) ¿Quieres mirarte?

PARIENTE. Si quieres, dámelo.

EURÍPIDES. ¿Te ves?

PARIENTE. No, por Zeus, a quien veo es a Clístenes[19].

EURÍPIDES. Levántate para que pueda chamuscarte, pon la cabeza derecha.

PARIENTE. Desdichado de mí, voy a quedarme como un lechón[20].

EURÍPIDES. Que alguien traiga de dentro una antorcha o un candil. Agáchate: cuidado con la punta de la cola.

PARIENTE. Eso es cosa mía... pero me abraso. ¡Desdichado de mí! Agua, agua, vecinos, antes de que en mi culo prenda la llama.

EURÍPIDES. ¡Valor!

PARIENTE. ¡Qué valor, cuando estoy incendiado!

EURÍPIDES. No te preocupes: ya ha pasado lo peor.

PARIENTE. ¡Ay, ay, qué hollín! Quemado me he quedado en todo el culo.

EURÍPIDES. No te preocupes: mi esclavo Sátiro te pasará la esponja.

PARIENTE. Va a llorar si me lava el ano.

EURÍPIDES. Agatón, ya que no quieres ofrecerte tú mismo, préstame por lo menos un vestido para éste y un sujetador: no dirás que no tienes.

AGATÓN. Coged y usad lo que queráis: no os lo niego.

PARIENTE. ¿Qué debo coger?

EURÍPIDES. ¿Que qué? Antes que nada, coge el vestido color azafrán y póntelo.

PARIENTE. Sí, por Afrodita: huele a pilila estupendamente. Ayúdame a ceñirme el cinturón. Pásame el sujetador.

EURÍPIDES. Ahí tienes.

PARIENTE. Venga, arréglame el vestido en torno a las piernas.

EURÍPIDES. Nos hacen falta una redecilla y una diadema.

---

[19] Una de las «bestias negras» de Aristófanes, criticado frecuentemente como homosexual y cobarde. Aparece más adelante en esta misma comedia.

[20] Se los chamuscaba antes de asarlos.

AGATÓN. Ahí tienes una peluca que yo uso por la noche.

EURÍPIDES. Por Zeus, nos viene estupendamente.

PARIENTE. ¿Será de mi medida?

EURÍPIDES. Sí, por Zeus, te sienta muy bien. Tráeme un velo.

AGATÓN. Cógelo de mi lecho.

EURÍPIDES. Ahora quiero zapatos.

AGATÓN. Coge éstos míos.

PARIENTE. ¿Me estarán bien? No es cómodo llevarlos grandes.

AGATÓN. Tú verás. Y ahora que tienes ya lo que necesitas, que uno me meta dentro rápido con el giratorio. (*Gira la plataforma y* AGATÓN *entra en su casa, cuya puerta se cierra.*)

EURÍPIDES. Este hombre se nos ha hecho mujer, al menos de apariencia. Si hablas, que lo hagas con voz de mujer, bien y de forma convincente.

PARIENTE. Lo intentaré.

EURÍPIDES. Vete pues ya.

PARIENTE. Por Apolo que no, a menos que me jures...

EURÍPIDES. ¿Qué?

PARIENTE. Salvarme con cualquier clase de recursos, si se me viene encima una desgracia.

EURÍPIDES. Lo juro por el Éter, residencia de Zeus[21].

PARIENTE. ¿Por qué no por la familia de Hipócrates?[22].

EURÍPIDES. Juro en definitiva por todos los dioses juntos.

PARIENTE. (*Hablando consigo mismo.*) Acuérdate de aquello del *Hipólito:*

«Juró la lengua, mas no juró mi pensamiento»[23]. En realidad, no le he atado con ningún juramento.

EURÍPIDES. Ea, ve rápido[24]: ya izan en el templo de las diosas Tesmóforos la señal de la Asamblea. Yo me marcho. (*Sale por la derecha.*)

PARIENTE. (*A una* ESCLAVA.) Ven conmigo, Tracia. (*Sale por la izquierda.*)

---

[21] Verso de otra tragedia de Eurípides, la *Melanipa Sabia* (487 N.).

[22] Sin duda el médico: al Pariente le inspira más confianza.

[23] Verso famoso del *Hipólito* de Eurípides (612), que se citaba para probar la mala fe de los nuevos intelectuales. Hipólito se desentiende así de su juramento de no revelar a nadie lo que le ha dicho la nodriza; pero, en realidad, cumple luego el juramento.

[24] Se invierte el refrán que decía «apresúrate lentamente».

PARIENTE. Mira, Tracia, qué multitud sube bajo el humo de las lámparas que arden. Bellas diosas Tesmóforos, Deméter y Perséfona, recibidme con buena fortuna aquí y luego... a casa. Tracia, deja la cesta en el suelo, saca la torta para ofrecérsela a las diosas. Señora Deméter muy venerada, muy querida, y Perséfona: que muchas, muchas veces pueda yo hacerte ofrendas de lo que tengo —o por lo menos, que ahora escape sin ser vista—. Y que mi hija, con su rico lechoncito[25], encuentre un hombre con dinero y, a ser posible, atontado e imbécil... y preste a la pilila su atención y su ánimo.

¿Dónde, dónde voy a sentarme en un buen sitio para escuchar a las oradoras? Vete ya, Tracia, lejos: a las esclavas no se les permite escuchar los discursos.

MUJER CORIFEO. ¡Silencio, silencio! Orad a las Tesmóforos y a Pluto y a Caligenia y a la Tierra nodriza de la Juventud y a Hermes y a las Gracias para que celebremos esta Asamblea y esta reunión de hoy del modo mejor y más favorable, con provecho para la ciudad de Atenas y con fortuna para vosotras mismas. Y que la que haga y diga lo mejor para el pueblo de los Atenienses y el de la mujeres, que esa gane la votación. Pedid esto y para vosotras mismas lo mejor. ¡Ié peán, ié peán, ié peán! Os saludo.

CORO.

Lo aceptamos y ante estas oraciones
pedimos que la raza de los dioses
se aparezca y muestre su alegría.
Oh Zeus de nombre augusto y Apolo de áurea lira
que reinas en Delos sagrada,
y tú, doncella poderosa
de glaucos ojos y áurea lanza
que esta ciudad habitas tan combatida, ven;

---

25 Doble sentido, es el órgano sexual.

y la de muchos nombres, cazadora,
hija de Leto de dorados ojos,
y tú, glorioso Posidón marino,
    rey de las olas,
saliendo del abismo rico en peces
del que es tábano el viento; y de Nereo marino
las hijas y las ninfas de los montes.
    Que una cítara áurea
    suene en honor de nuestras
    plegarias: que con éxito
la Asamblea celebremos las de Atenas
    nobles mujeres.

MUJER CORIFEO. Orad a los dioses Olímpicos y Olímpicas, a
los Píticos y Píticas, a los Delios y Delias y a los demás dioses. Si alguien maquina algún mal contra el pueblo de las
mujeres o negocia con Eurípides y los Medos para daño de
las mujeres, o planea hacerse con la tiranía o traer del exi-
lio al tirano, o denuncia a una mujer que se sale con un
niño supositicio o si una esclava que es alcahueta de su
ama se lo cuenta al oído al amo, o si un amante engaña a
una mujer contándole mentiras y no le da lo que promete o
si una vieja da regalos a un gigoló o una puta los acepta
traicionando a su amigo, o si un tabernero o una tabernera
altera la capacidad legal de las medidas del vino, lanzad la
maldición de que perezca malamente éste y su casa y pedid
que a las demás las diosas os den a todas mucha felicidad.

CORO.

Pedimos que propicias para el pueblo,
    propicias para la ciudad
    se cumplan estas oraciones;
y proponiendo lo mejor triunfen
las mujeres que es justo. Pero cuantas
    practican engaños, quebrantan
    los juramentos rituales,
    por su codicia, haciendo daño,
    o los decretos y las leyes

quieren poner patas arriba
y los secretos que son nuestros
cuentan a nuestros enemigos
o hacen que vengan los Medos
contra el país para dañarlo,
son mujeres impías e injustas contra Atenas.
　Zeus todopoderoso,
cumple mis oraciones, haz
que ayuda nos presten los dioses
　aunque seamos mujeres.

MUJER HERALDO. Prestad oído. El Consejo de las mujeres ha
acordado lo que sigue. Presidió Timoclea, fue secretaria
Lisila, hizo la propuesta Sóstrata. Que celebremos una
Asamblea a la aurora en el día del medio de las Tesmoforias, que es en el que tenemos más tiempo, y que en el orden del día figure en primer término Eurípides, qué pena
debe sufrir: pues todas estamos de acuerdo en que comete
injusticia. ¿Quién pide la palabra?
MUJER 1.ª. Yo.
MUJER HERALDO. Ponte primero ésta[26], antes de hablar.
MUJER CORIFEO. ¡Silencio, callad, atención! Pues ya carras-
pea, como hacen los oradores. Parece que va a hablar largo
y tendido.
MUJER 1.ª. No es por ninguna clase de ambición, por las dos
diosas, por lo que me he levantado para hablar, oh mujeres. Pero hace ya mucho tiempo que la pobre de mí sufro al
ver cómo somos injuriadas por Eurípides el hijo de la verdulera[27] y que recibimos de él toda clase de acusaciones.
¿Pues con qué desgracia deja éste de ensuciarnos? ¿Y en
qué lugar no nos ha calumniado, con tal que haya espectadores, tragedias y coros, llamándonos adúlteras, locas por
los hombres, borrachas, pura corrupción, gran desgracia
para los varones?
Hasta el punto de que nuestros maridos, tan pronto como

---

26 La corona.
27 Como es sabido, es una afirmación frecuente (por lo demás indemos-
trada) de los cómicos.

entran en casa, viniendo del tablado del teatro, nos miran con sospecha y se ponen enseguida a buscar si tenemos algún amante escondido. Y ni siquiera podemos hacer ya las cosas que antes solíamos: tales maldades ha enseñado éste a nuestros maridos. Así, si una mujer trenza una corona, dice que está enamorada; y si andando por la casa deja caer al suelo alguna vasija, el marido pregunta: «¿Por causa de quién se ha roto la olla? Bien seguro que del extranjero de Corinto»[28]. Está enferma una chica, enseguida dice el hermano: «no me gusta el color de la chica».

Ea, una mujer que no tiene hijos quiere procurarse uno supositicio: ni en esto pasa inadvertida. Pues los maridos ahora están sentados siempre al lado. Y también nos ha calumniado ante los viejos que antes se casaban con chicas jóvenes: ahora ningún viejo quiere casarse, por culpa de este otro verso: «Para un esposo viejo, la mujer es un amo»[29]. Y luego, por su culpa, a las habitaciones de las mujeres les ponen ahora sellos y cerrojos para vigilarnos y además crían perros molosos[30] como espantajo para los amantes.

Y quizá todo esto sea excusable; pero lo que antes podíamos hacer, administrar la casa nosotras mismas y coger antes que nadie harina, aceite, vino, ni siquiera esto podemos ya. Pues nuestros maridos llevan unas llaves secretas, unas malditas llaves laconias de tres dientes. Antes era al menos posible abrir la puerta a escondidas haciéndonos con un anillo de tres óbolos que imitara el sello del marido; pero ahora este Eurípides, ruina de las familias, les ha enseñado a colgarse del cuello unos sellos de madera agusanada[31] imposibles de imitar.

Por todo esto propongo que nosotras amasemos para éste de algún modo su pérdida con ayuda de veneno o de algún otro modo —para que muera—. Esto es lo que digo en

---

[28] Alusión a la *Estenebea* de Eurípides. El extranjero de Corinto es Belerofontes, del que la heroína está enamorada y al que quiere seducir. Véase el Fr. 664 N. de Eurípides.

[29] Del *Fénix* de Eurípides (801 N.).

[30] Famosos por su ferocidad.

[31] El detalle se escapa, pero es claro que eran más difíciles de imitar.

público: lo demás lo dejaré escrito con ayuda de la secretaria.

CORO.

Estrofa.

Yo nunca había escuchado
a una mujer más trapacera
ni más astuta para hablar.
Es justo todo lo que dice,
todos los temas ha tocado,
todo en su mente ha sopesado y con talento
halló argumentos ingeniosos,
bien estudiados todos.
Y así, si habla después de ella
Jenocles el hijo de Cárcino[32],
va a pareceros, me figuro,
a todo el público
un hombre sin sustancia.

MUJER 2.ª. También yo he subido a la tribuna para deciros unas pocas palabras. En todo lo demás esta otra mujer ha presentado una buena acusación; pero yo quiero decir lo que me ha pasado a mí. Mi marido murió en Chipre y me dejó cinco chiquillos que yo criaba a duras penas trenzando coronas en el mercado de flores. Antes, malamente me ganaba la vida; pero ahora Eurípides, escribiendo sus tragedias, ha convencido a los hombres de que no existen los dioses[33]: así, ya no vendemos ni la mitad de las coronas destinadas al culto. Por ello a todas os exhorto y pido que castiguéis a ese hombre por muchas cosas: nos está haciendo, mujeres, cosas selváticas, ya que él se crió entre verduras selváticas[34]. Pero me voy a la plaza: tengo que trenzar

---

32 Poeta trágico criticado ya más arriba.

33 Acusación vulgar contra Eurípides (y Sócrates) debida a su crítica de la religión tradicional. Podía apoyarse en palabras de algún personaje de sus tragedias, como Belerofontes en Fr. 286 N.

34 Alusión a la madre de Eurípides, como más arriba.

veinte coronas para unos hombres que me las han encargado.

Coro.

Aquí tenemos otro espíritu
que aún más fino que el de antes
    se nos ha revelado.
    ¡Qué cosas ha charlado
no inoportunas, con talento,
y con espíritu ingenioso
    inteligentes, persuasivas!
Fuerza es que por este ultraje
    Eurípides reciba
    un castigo ejemplar.

Pariente. Que las mujeres estemos tan enfadadas con Eurípides, que ha dicho tantas cosas malas de nosotras, nada tiene de raro, ni que nos hierva la bilis. También yo —así tenga felicidad con mis hijos— odio a ese hombre, si no estoy loca. Pero debemos aclarar las cosas entre nosotras: estamos solas, nadie va a sacar fuera nuestras palabras. ¿Por qué acusamos a ese hombre y nos ponemos furiosas, si se enteró de dos o tres maldades nuestras y las divulgó, cuando hacemos otras infinitas? Yo misma la primera, para no hablar de otra, tengo sobre mi conciencia muchísimos horrores.
El más horrible es cuando llevaba tres días de casada y mi marido dormía al lado mío. Yo tenía un amigo que me había desvirgado cuando tenía siete años. Éste, echándome de menos, vino y comenzó a arañar la puerta. Enseguida me di cuenta: me bajo de la cama sin decir nada. Mi marido pregunta: «¿dónde vas?». «¿Que a dónde? Tengo retortijones en el vientre, marido mío, y dolores: voy al excusado.» «Ve pues.» Y luego él se puso a machacar bayas de enebro, anís y salvia; y yo eché agua en los goznes, para que no rechinaran, y salí a reunirme con mi amante: me puse a cuatro patas junto al Apolo de la puerta, agachando la cabeza y agarrándome al laurel. Pues esto nunca lo contó, fi-

jaos bien, Eurípides; ni que nos dejamos hacer polvo por los esclavos y muleros cuando no tenemos a otro, tampoco lo dice; ni que cuando más puteamos con alguno toda la noche, a la mañana masticamos ajos, para que cuando nos huela el marido al volver de su puesto en la muralla[35], no sospeche que hemos hecho nada malo. Esto, te das cuenta, nunca lo contó.

Entonces, si se mete con Fedra, ¿eso qué nos importa?[36]. Ni tampoco ha contado aquello otro, lo de la mujer que, mientras enseñaba al marido su velo para que lo viera a la luz del sol, hizo salir embozado al amante: todavía no lo ha contado. Y yo sé de otra que estuvo diciendo diez días que tenía dolores de parto... hasta que se compró un bebé. El marido venga a correr de un lado a otro comprando remedios para acelerar el parto: y entre tanto lo metió en la casa una vieja, dentro de una olla, al bebé, con la boca taponada con cera, para que no llorara. En cuanto la que lo trajo le hizo una señal, grita enseguida la mujer: «Sal fuera, sal fuera, marido mío, creo que ya voy a parir.» Es que el niño había dado una patadita en el vientre... de la olla. Él salió todo alegre, la otra quitó la cera de la boca del niño, éste rompió a llorar. Y la maldita vieja, la que había traído el bebé, corre toda sonrisas al marido y le dice: «Un león, un león te ha nacido, un vivo retrato tuyo: todo lo demás y también el pito, igualito que el tuyo, redondito como una piña.»

¿No hacemos estas maldades? Sí que las hacemos, por Ártemis. Y luego nos enfadamos con Eurípides «cuando sufrimos menos pena que nuestras culpas».

---

35 De su guardia en la muralla, en esta época de guerra.
36 Fedra era la protagonista de los dos *Hipólitos,* el conservado y el perdido (en éste declaraba directamente su amor a Hipólito). El tratamiento del tema por Eurípides es muy matizado y, en realidad, hay en él más comprensión que condena. Pero popularmente se entendían las cosas de este otro modo.

Coro.

Antístrofa.

Es de verdad extraño
de dónde esta tipa salió,
ni sé qué país ha criado
a una mujer tan descarada.
   Pues decir esto la maldita
a las claras así, con tanta desvergüenza,
   no habría yo nunca creído
      que llegara a osar.
      Ahora ya puede pasar todo.
      Apruebo en verdad el refrán
      antiguo: hay que mirar debajo
         de toda piedra,
      no muerda un orador.

Mujer corifeo.

Es que no hay, por encima de las mujeres desvergonzadas
   por naturaleza,
cosa peor en ningún respecto con excepción... de las mujeres.

Mujer 1.ª.

No estáis en vuestro sano juicio, mujeres, por la diosa
   Aglauro[37];
os han embrujado o os ha ocurrido alguna otra gran desgracia,
pues que dejáis que esta perdida se burle de este modo
de todas nosotras. Si hay algún... Pero si no
nosotras mismas y nuestras criaditas cogeremos brasas
y le depilaremos el cerdito[38], para que aprenda,
siendo mujer, a no hablar mal de las mujeres en adelante.

---

[37] Hija de Cécrope, rey mítico de Atenas, objeto de culto en el Erecteo.
[38] Es el órgano femenino. Pero recuérdese que en las Tesmoforias se enterraban cerditos y eran consumidos en otras fiestas.

PARIENTE.

El crédito no mujeres. Pues si por haber en la fiesta libertad
de palabra y permiso para que hablemos todas las ciudadanas,
dije en defensa de Eurípides lo que creía que era justo,
¿por eso debo sufrir el castigo de ser depilada por vosotras?

MUJER 1.ª.

¿Es que no debes sufrir el castigo? Cuando tú sola has osado
hablar en defensa de un hombre que nos ha hecho tanto daño
inventando adrede argumentos en los que había una mujer mala:
poniendo en escena a las Melanipas[39] y a las Fedras; a Penélope en cambio
nunca la sacó a escena, porque tuvo fama de casta.

PARIENTE.

Sé muy bien la razón: porque a ninguna llamarías,
de las mujeres de hoy, Penélope, pero Fedras a todas.

MUJER 1.ª.

Oíd, mujeres, qué cosas ha dicho el malvado
de todas nosotras otra vez.

PARIENTE.

Pues, la verdad, todavía no
he dicho todo lo que sé: ¿queréis que os diga más cosas?

MUJER 1.ª.

No serías capaz: todo lo que sabías, lo desembuchaste.

PARIENTE.

Por Zeus, ni la diezmilésima parte de lo que hacemos.
No he dicho, ya lo ves, que con las espátulas[40]
perforando su mango, sacamos vino, hecho con un sifón.

MUJER 1.ª.

¡Ojalá revientes!

---

[39] Los mitos de Melanipa, hija de Eolo y madre de dos hijos por obra de Posidón, eran tratados en dos tragedias de Eurípides, la *Melanipa Sabia* y la *Melanipa Prisionera*. Una trataba del salvamento de sus hijos, otra del de ella misma; no se ve por qué aparece aquí como mujer malvada.

[40] Usadas por las mujeres para su *toilette*.

PARIENTE.

Y que damos a las alcahuetas la carne de las Apaturias[41]

y luego decimos que la comadreja[42]...

MUJER 1.ª.

¡Pobre de mí! Deliras.

PARIENTE.

Ni que otra al marido lo hizo pedazos con un hacha,

eso no te lo dije, ni que otra con venenos volvió loco al marido

ni que bajo la bañera enterró...

MUJER 1.ª.

¡Ojalá mueras!

PARIENTE.

una de Acarnas a su padre.

MUJER 1.ª.

¿Es soportable que oigamos esto?

PARIENTE.

Ni que cuando tu criada parió un varoncito, para ti misma te lo apropiaste y a ella le diste tu hijita.

MUJER 1.ª.

No, por las dos diosas, no vas a escapar impune después de decir eso,

voy a arrancarte la melena.

PARIENTE.

Por Zeus, que no vas a tocarme.

MUJER 1.ª. *(Le pega.)*

¡Toma!

PARIENTE. *(Le pega.)*

¡Toma!

MUJER 1.ª. *(A su esclava.)*

¡Tenme el vestido, Filista!

---

[41] Es la fiesta en que los niños eran inscritos en las fratrías, organizaciones gentilicias, quedando integrados así en la ciudad. Había un gran banquete comunal.

[42] Los griegos usaban este animal como un gato.

PARIENTE.

Tócame y te juro por Ártemis que

MUJER 1.ª.

¿Qué vas a hacer?

PARIENTE.

El pastel que te comiste, ése te haré que lo cagues.

MUJER CORIFEO.

Dejad de injuriaros: pues una mujer
corre apresurada hacia nosotras. Antes de que llegue
callad, para que podamos escuchar modosamente
   lo que diga.

(*Llega* CLÍSTENES, *con aire afeminado.*)

CLÍSTENES. Mujeres queridísimas, parientes de mi naturaleza: que soy amigo vuestro bien lo demuestran mis mejillas. Pues estoy loquito por las mujeres y soy siempre vuestro cónsul. Ahora mismo, en cuanto oí un asunto gravísimo para vosotras, que hace muy poco estaban contando en la plaza, he venido a decíroslo y a daros la noticia para que miréis y vigiléis, no sea que sobrevenga, sin estar preveni-das, un disgusto terrible y grandísimo.

MUJER CORIFEO. ¿Qué ocurre, hijo? Pues hijo he de llamarte mientras tengas las mejillas así de lisas.

CLÍSTENES. Dicen que Eurípides ha enviado aquí hoy a un viejo pariente suyo.

MUJER CORIFEO. ¿Para qué o con qué intención?

CLÍSTENES. Para que, cualquier cosa que deliberéis o vayáis a hacer, aquél sea un espía de vuestras palabras.

MUJER CORIFEO. Y siendo un hombre, ¿cómo se mantiene oculto entre las mujeres?

CLÍSTENES. Lo ha chamuscado y depilado Eurípides y en todo lo demás lo ha disfrazado de mujer.

PARIENTE. ¿Le creéis eso? ¿Qué hombre sería tan imbécil que se dejara depilar? Yo por lo menos no me lo creo, oh diosas venerables[43].

---

43 Las Euménides.

CLÍSTENES. Chocheas. Yo no habría venido si no me hubiera enterado de este asunto por los que lo conocen bien.

MUJER CORIFEO. Es terrible esta noticia que nos traen. Mujeres, no deberíais estaros quietas, sino mirar y buscar al hombre, dónde se esconde sentado y se nos oculta. Y tú, ayúdanos a encontrarlo, para que te quedemos agradecidas por lo uno y por lo otro, cónsul nuestro.

CLÍSTENES. *(A la* MUJER 1.ª.) Veamos tú la primera, ¿quién eres?

PARIENTE. *(Aparte.)* ¿Qué voy a hacer?

CLÍSTENES. Porque vais a ser examinadas.

PARIENTE. *(Aparte.)* ¡Desdichado de mí!

MUJER 1.ª. ¿Me preguntaste quién era? La mujer de Cleónimo[44].

CLÍSTENES. ¿La conocéis vosotras, quién es?

MUJER CORIFEO. La conocemos. Inspecciona a las otras.

CLÍSTENES. ¿Y quién es esa otra, la que lleva un niño?

MUJER 1.ª. Mi nodriza.

PARIENTE. *(Aparte.)* Estoy perdido. *(Huye.)*

CLÍSTENES. ¡Eh tú! ¿A dónde vas? Estate quieta. ¿Qué te pasa?

PARIENTE. Déjame hacer pis. Eres un desvergonzado.

CLÍSTENES. Hazlo: te esperaré aquí.

MUJER CORIFEO. Espera y vigílala bien, pues es la única a la que no conocemos.

CLÍSTENES. Mucho tiempo llevas meando.

PARIENTE. Sí, por Zeus, amigo. Tengo una retención de orina: ayer comí berros.

CLÍSTENES. ¿Qué es eso de los berros? ¿No vas a acercarte a mí? *(Tira de ella.)*

PARIENTE. ¿Por qué me arrastras, si estoy enferma?

CLÍSTENES. Dime: ¿quién es tu marido?

PARIENTE. ¿Preguntas por mi marido? ¿Conoces a fulano, el del demo de Cotócidas?[45].

CLÍSTENES. ¿Fulano? ¿Quién?

---

[44] Una de las «bestias negras» de Aristófanes, que lo trataba repetidamente de glotón, gordo y afeminado.

[45] Perteneciente a la tribu Eneide.

PARIENTE. Fulano, el que una vez a mengano, el de peren-
gano...

CLÍSTENES. Me parece que chocheas. ¿Subiste ya aquí antes?

PARIENTE. Sí, por Zeus, todos los años.

CLÍSTENES. ¿Y quién es tu compañera de tienda?

PARIENTE. Fulana. (*Aparte.*) ¡Pobre de mí!

CLÍSTENES. Dices bobadas.

MUJER 1.ª. Déjame a mí. Voy a interrogarla a fondo sobre la
fiesta del año pasado. Tú retírate, no vayas a oírlo siendo
un hombre como eres. (CLÍSTENES *se aparta.*) Dime cuál
fue la primera ceremonia.

PARIENTE. Veamos. ¿Cuál fue la primera? Bebimos.

MUJER 1.ª. ¿Y cuál la segunda, después de ésta?

PARIENTE. Brindamos.

MUJER 1.ª. Eso se lo oíste a alguien. ¿Cuál la tercera?

PARIENTE. Jantila pidió un barreño, pues no había orinal.

MUJER 1.ª. Dices bobadas. Ven, Clístenes, ven, este es el
hombre de que hablas.

CLÍSTENES. ¿Qué debo hacer?

MUJER 1.ª. Desnúdale: dice locuras.

PARIENTE. ¿Y vais a desnudar a una madre de nueve hijos?

CLÍSTENES. Quítate inmediatamente el sujetador, desver-
gonzada.

MUJER 1.ª. Qué robusta y fuerte está. Y, por Zeus, no tiene te-
tas, como nosotras.

PARIENTE. Es que soy estéril y no he tenido ningún em-
barazo.

MUJER 1.ª. Ahora sales con eso. ¡Y antes eras madre de nueve
hijos!

CLÍSTENES. Ponte de pie. ¿Cómo es que empujas la polla para
abajo?

MUJER 1.ª. (*Se pone detrás del* PARIENTE.) Ya ha pasado a este
otro lado, tiene muy buen color. ¡Canalla!

CLÍSTENES. (*Pasa detrás.*) ¿Dónde está?

MUJER 1.ª. De nuevo se ha ido delante.

CLÍSTENES. (*Pasa delante.*) Pues aquí al menos no está.

MUJER 1.ª. Es que de nuevo ha corrido aquí.

CLÍSTENES. Tienes un Istmo, tío: hacia arriba y hacia abajo

arrastras la polla más veces que los corintios[46].

MUJER 1.ª. ¡Canalla! Por esto nos injuriaba defendiendo a Eurípides.

PARIENTE. ¡Desdichado de mí, en qué lío me he metido!

MUJER 1.ª. Vamos, ¿qué hacemos?

CLÍSTENES. Vigiladle bien, que no se nos escape y huya: yo voy a anunciar esto a los prítanis.

MUJER CORIFEO.

Debemos ahora encender las lámparas
y apretándonos los cinturones fuerte, como machos, y quitándonos los mantos
buscar si algún otro hombre se ha inflitrado; y recorrer corriendo
toda esta colina de la Pnix y examinar las tiendas y los corredores entre ellas.
Ea, vamos lo primero a correr con pie ligero
y a inspeccionar en silencio por todas partes. Tan sólo
no os demoréis, que el momento es de no tardarse ya
Que corra ya la primera deprisa, deprisa, en círculo.

CORO. (*Danza buscando en torno a la orquesta.*)

> Sigue la pista, rebusca
> rápida todo, por si otro
> en algún sitio escondido
>   se nos escapa.
> Echa un ojo a todas partes.
> por este sitio y aquél,
>   búscale bien.

> Si a escondidas algo impío
> hizo, sufrirá castigo
> y escarmentará a los otros
> de obras violentas e injustas,
>   de ser ateos.

---

46 Los corintios transportaban sus naves a través del Istmo en las dos direcciones: del mar Sarónico al golfo de Corinto y al revés.

Dirá ya que existen dioses
     y enseñará
a todos a venerarlos
y a ser piadosos y justos
con una conducta honrada.
Si así no obran esto tendrán:
si uno es cogido en la impiedad
   enloquecido, extraviado
   por su acción le verán todos,
   tanto mujeres como hombres.
   Pues la injusticia y la impiedad
   castigan al punto los dioses.

MUJER CORIFEO.
   Parece que hemos ya todos el lugar examinado.
   No vemos a otro hombre alguno escondido entre nosotras.

(*El* PARIENTE *se apodera de una niña, quitándosela a la madre, y se refugia en el altar*)[47].

MUJER 1.ª. Tú, ¿dónde huyes? ¿No vas a estarte quieto? ¡Desgraciada de mí, desgraciada, que me ha quitado la niña de la teta y ha salido corriendo!

PARIENTE. Puedes chillar: nunca más vas a darle la papilla, como no sea que me soltéis. Aquí sobre los muslos de las víctimas, «herida en sus venas por este mi cuchillo, de sangre teñirá este altar»[48].

MUJER 1.ª. ¡Desdichada de mí! Mujeres, ¿no venís en mi ayuda? «¿No levantáis en alto un griterío de voces numerosas, que haga huir al enemigo?» ¿Vais a dejar que yo me quede sin mi única hija?

---

[47] Como se dice en la Introducción, se imita aquí la escena del *Télefo* en que este héroe se refugia en el altar tras raptar al niño Orestes. Pero la imitación es a través de la anterior del propio poeta en *Los Acarnienses:* allí el niño resultaba ser un saco de carbón, aquí una bota de vino. En los dos casos, lo más querido para el coro.

[48] Es una cita trágica, no se sabe si del *Télefo.*

CORO.

Moiras[49] augustas, ¿qué es esta que veo
nueva abominación?

MUJER CORIFEO.
Todo es pura impudencia, es pura desvergüenza.
¡Qué crimen, mis amigas, éste nuevo que ha osado!
PARIENTE.
¿Cómo voy a arrancaros ese orgullo excesivo?
MUJER CORIFEO.
¿No es una acción horrible ésta y más todavía?
MUJER 1.ª.
¡Horrible es, en verdad, ha robado a mi niña!
CORO.

¿Qué puede decir una,
si hace esto y se jacta?

PARIENTE.

Y esto no es todo aún.

CORO.

No vas a decir, volviéndote
y huyendo así como así,
que esto hiciste y te escapaste.
Recibirás tu castigo.

PARIENTE.

Ojalá esto no suceda / jamás: os conjuro yo.

CORO.

¿Quién de los dioses vendría?
como aliado en tu crimen?

---

49 Las diosas del destino, equivalentes de las Parcas.

Pariente.

En vano, en vano charláis. A esta no voy a soltarla.

Coro.

No vas, por las diosas,
tran tranquilo a insultarnos
y a decir impiedades.
Pues a tus impiedades
contestaré, por esto.
    Pues rápido cambia y trae la fortuna el mal
mostrando la otra cara.

Mujer corifeo.
    Es preciso que éstas cojan leña y la traigan
y abrasen a ese maldito y lo quemen cuanto antes.

Mujer 1.ª. *(A su criada.)* Vamos a por sarmientos, Mania. *(Al
Pariente.)* A ti voy a convertirte hoy mismo en un tizón.
Pariente. Prende fuego, abrásame si quieres; pero tú *(a la
niña)* quítate rápido ese vestido cretense. De tu muerte,
niña, culpa sólo a tu madre de todas las mujeres. *(Pausa.)*
¿Qué es esto? La niña resulta que es un odre lleno de vino:
y eso que lleva botitas persas. ¡Oh mujeres viciosas, borra-
chucias, que cualquier cosa aprovecháis para beber; oh
gran felicidad para los taberneros y para nosotros los hom-
bres gran desgracia y otra desgracia para los utensilios de la
casa y para la trama!
Mujer 1.ª. Amontona a su lado muchos sarmientos, Mania.
Pariente. Amontona, amontona *(A la Mujer.)* Pero tú con-
testa: ¿dices que lo pariste?
Mujer 1.ª. Nueve meses lo llevé en mi vientre.
Pariente. ¿Lo llevaste?
Mujer 1.ª. Sí, por Ártemis.
Pariente. *(Enseña el odre desvestido.)* ¿Era de un litro o cómo?
Dímelo.
Mujer 1.ª. ¿Qué me has hecho? Has desnudado, sinvergüen-
za, a mi niña, tan pequeñita.

PARIENTE. ¿Pequeñita? Ya es algo crecidita. ¿Cuántos años tiene? ¿Tres jarros[50] o cuatro?

MUJER 1.ª. El tiempo desde las Dionisias[51] a esta fiesta: siete meses. Pero devuélvemela.

PARIENTE. No, por el Apolo de aquí al lado.

MUJER 1.ª. Entonces, vamos a prenderte fuego.

PARIENTE. Muy bien, préndeme fuego. Pero ésta va a ser degollada enseguida.

MUJER 1.ª. Por Zeus, no, te lo suplico: a mí hazme lo que quieras, con tal de salvarla.

PARIENTE. Eres amante de tus hijos por naturaleza. Pero ésta va a ser degollada lo mismo.

MUJER 1.ª. ¡Ay mi niña! Dame el vaso sagrado, Mania, para recoger por lo menos la sangre de mi hija.

PARIENTE. Tenlo debajo: eso te lo concedo.

MUJER 1.ª. Ojalá revientes. ¡Qué envidioso y malévolo eres!

PARIENTE. La piel, que tengo aquí, es para la sacerdotisa.

MUJER 2.ª. ¿Qué es lo que es para la sacerdotisa?

PARIENTE. (Da a la MUJER 1.ª el vestido que envolvía el odre.) Esto. Toma.

MUJER 2.ª. Mica desgraciadísima, ¿quién te quitó la doncellez?[52]. ¿Quién vació a tu hija muy querida?

MUJER 1.ª. Este bandido. Pero ya que estás aquí, tenle vigilado para que yo pueda llevarme a Clístenes de testigo y contar a los prítanis lo que este hombre ha hecho.

(Salen la MUJER 1.ª y CLÍSTENES.)

PARIENTE. Ea, ¿qué recurso tendré de salvación? Porque el

---

[50] El «jarro» es una medida y al tiempo da nombre a la fiesta de uno de los días de las Antesterias, fiesta dionisiaca. El Pariente mide la edad de la niña (un odre en realidad) por lo grande que está y calcula su tamaño por el vino que contiene.

[51] Si se trata de las Grandes Dionisias, en marzo, hay que calcular siete meses (las Tesmoforias son en octubre/noviembre).

[52] Es decir, quién te quitó tu niña, pero con un término destinado a hacer reír.

culpable, el que me metió en este embrollo, no aparece todavía. Veamos. ¿Qué mensajero podré enviarle? Bueno, conozco una manera por el *Palamedes*[53] de Eurípides. Igual que ese héroe, escribiré en los remos un mensaje y los echaré al mar. Pero no tengo remos. ¿De dónde procurarme remos? ¿De dónde? ¿De dónde? ¿Y qué si cojo estas tablillas y escribo en ellas y las tiro lejos? Es lo mejor. Son de madera, igual que aquellos remos. (*Coge las tablillas y escribe.*)

Oh manos mías,
tiempo es de buscar ya la fuga.
Tablillas de fina madera,
grabo los surcos de la lima,
heraldos de mis sufrimientos. ¡Ay!
La *ro* me ha salido muy mal.
Ya va, ya va. ¿Qué surco es éste?

(*Arroja las tablillas.*)

Marchad, corred por todos los caminos:
por éste, por aquél. ¡Deprisa!

(*Se sienta, vigilado por la* Mujer 2.ª. *El* coro *se adelanta hacia el público.*)

Mujer corifeo. (*Ritmo solemne.*)
Voy a presentar ahora la parábasis y a hacer nuestro propio elogio,
ya que todo el mundo dice de las mujeres mucho y malo:
que para los hombres somos pura calamidad y todas las calamidades salen de nosotras:
rencillas, peleas, enemistad feroz, resentimiento, guerra.
Pero, vamos,
si somos una calamidad, ¿por qué os casáis con nosotras, si de verdad somos una calamidad,

---

53 En la tragedia de este nombre, Palamedes sucumbía víctima de una intriga de Odiseo. Su hermano Eax enviaba la noticia de lo sucedido a su padre Nauplio, grabándola en unos remos que echaba al mar.

y luego nos prohibís salir de casa y que nos cojan sacando
la cabeza,
y en cambio queréis con tanto afán tener bien guardada a
esa calamidad?
Y si vuestra mujercita sale a cualquier cosa y os la encontráis en la puerta,
os entra un ataque de locura, cuando debíais poneros tan
contentos, si de verdad
os encontrabais con que se había ido fuera la gran calamidad y no os la topabais dentro.
Y si nos quedamos dormidas en casa de una amiga tras di-
vertirnos y cansarnos,
todo el mundo se pone a buscar a la calamidad que se perdió, yendo de cama en cama.
Si nos asomamos a la ventana, queréis contemplar a la calamidad,
pero si por recato se mete dentro, todos quieren mucho
más
ver otra vez a la calamidad que se metió. Así pues, a todas
luces somos
mucho mejores que los hombres, se puede dar la prueba.
Vamos a someternos a la prueba, para ver quiénes son peores. Porque nosotras decimos que vosotros,
vosotros que nosotras. Vamos a verlo y a oponer una mujer a cada hombre,
comparando por sus nombres a cada hombre y cada mujer.
A Nausímaca[54] resulta muy inferior Carmino[55], vencido
con sus naves: es claro lo que han hecho la una y el otro.
Cleofonte el demagogo, por su parte, es peor sin duda que
la Salabaco[56], ilustre cortesana.
Y frente a la Aristómaca de antaño, la que luchó en Maratón,

---

[54] En lo que sigue son nombres parlantes Nausímaca «la que lucha con las
naves», Aristómaca «la que lucha excelentemente», Estratonica «la que vence
al ejército» y Eubula «la buena consejera».
[55] Almirante ateniense que acababa de sufrir una derrota ante la flota es-
partana.
[56] Una cortesana.

y Estratonica, ni uno de vosotros va a intentar hacer la
   guerra.
¿O acaso es mejor que Eubula algún Consejero del año pasado
que dejó su puesto a otro?[57]. Ni Anito[58], el político, va a
   decir eso.
Hasta tal punto presumimos de ser mucho mejores que los
   hombres.
De verdad, si una mujer hubiera robado cincuenta talentos
   al Estado
no osaría entrar en Atenas en un carro de caballos; pues
   por mucho que sise,
si le roba al marido un cestillo de trigo, se lo devuelve al
   día siguiente.

(Ritmo rápido.)

Y en cambio nosotras podríamos mostraros
que muchos hombres hacen eso mismo.
Y que son, encima, mucho más glotones
que todas nosotras, ladrones de ropa,
payasos y falsos tratantes de esclavos.
Y además, aún, la herencia del padre
son mucho peores para conservarla.
Nosotras guardamos, ahora todavía,
rodillo, cestillo y vara de telar,
   también la sombrilla.
Y en cambio, ya veis, estos hombres nuestros
muchos han perdido dentro de su casa
la vara de la lanza con su hierro,
mientras que a otros muchos de sobre los hombros,
   estando en campaña,
se les vino al suelo... hasta la sombrilla.

---

57 No está claro si se trata tan sólo del relevo habitual de los consejeros a
fin de año o si hay relación con los acontecimientos del 411, con su revolu-
ción oligárquica.
58 Político moderado, autor luego de la acusación contra Sócrates.

(Ritmo lento.)

Son muchas las cosas que con justicia podríamos criticar
   las mujeres
a los varones justamente, pero una sola antes que nada.
Si una pare un hombre que sea de provecho para la ciudad,
un coronel o un general, debería recibir un premio
y deberían darle asiento en la primera fila en las Estenias y
   Esciras
y en las otras fiestas que celebramos las mujeres.
Pero si una mujer pare un cobarde, un hombre inútil,
un mal capitán de barco o un piloto detestable,
que se siente la última con un corte de pelo al rape
detrás de la que parió al valiente. Pues ¿cómo va a ser justo,
   oh ciudad,
que la madre de Hipérbolo[59] esté sentada, vestida
de blanco y con largos cabellos, cerca de la de Lámaco[60],
y preste con usura, una mujer a la que no debería nadie, si
   prestara dinero
y se cobrara la cría que éste pare, el interés, darle esa cría?
Tenían que arrebatarle por la violencia su dinero, diciendo
   do así:
¿mereces recibir la cría del dinero, tú que has criado a un
   crío como ese otro?

(El CORO *se retira al fondo de la orquestra.)*

PARIENTE. Me he quedado bizco de esperar: y todavía no ha
   venido. ¿Qué puede ser lo que se lo estorba? No se me quita de la cabeza que está avergonzado de su *Palamedes,* que es
   muy frío. ¿Con qué tragedia le haría venir yo? Ya lo sé: voy
   a imitar su nueva *Helena*[61]. La verdad es que ya tengo puestas ropas de mujer.

---

[59] Demagogo belicista sucesor de Cleón, muy atacado por Aristófanes.

[60] General también muy belicista a quien Aristófanes atacó en *Los Acarnienses.* Su muerte en la guerra de Sicilia (413) es seguramente lo que hace que
aquí sea puesto como modelo.

[61] «Nueva» porque había sido puesta en escena el año anterior. En ella
Menelao lograba rescatar a Helena de Egipto. En la escena que sigue, se pa-

[194]

MUJER 2.ª. ¿Qué es lo que maquinas? ¿Por qué abres así los ojos? Amarga *Helena* vas a ver si no te portas bien hasta que venga uno de los prítanis.

PARIENTE. *(Haciendo de Helena.)*

Del Nilo son estas las virginales aguas,
río que en vez del celeste rocío, la llanura
del blanco Egipto riega para su pueblo de
    oscuros... purgantes[62].

MUJER 2.ª. Eres un mamarracho, por Hécate que trae la luz del día[63].

PARIENTE.

Mi patria no es desconocida,
Esparta; y Tindáreo[64] es mi padre.

MUJER 2.ª. ¿Ése tu padre, canalla? Frinondas[65], yo diría.

PARIENTE.

Y mi nombre es Helena.

MUJER 2.ª. ¿Otra vez haces de mujer, y eso antes de sufrir el castigo por el travestido de antes?

PARIENTE.

Y muchas almas, por mi culpa, cerca de la
    corriente

---

rodia la llegada de Menelao y el reconocimiento de los dos esposos. El Tesmoforion se convierte en una playa egipcia, el altar en la tumba del rey Proteo, la Mujer de guardia en Teónoa, la hija de Proteo que ayudó a Helena a escapar. Lo que sigue está lleno de citas o alusiones a la *Helena*.

[62] A los dos versos iniciales de la *Helena* se añade uno satírico en que se alude al uso que los egipcios hacían de una planta purgante.

[63] Diosa de los encantamientos y de los infiernos.

[64] Rey de Esparta que se casó con Leda y fue padre adoptivo de Helena, Clitemestra y los Dioscuros.

[65] Lo citan como un bribón y sinvergüenza los oradores y los cómicos.

del Escamandro[66], han muerto
MUJER 2.ª ¡Lástima que tú no!
PARIENTE.

Y aquí me encuentro yo; pero mi esposo desgraciado,
Menelao, no ha llegado todavía.

¿Por qué sigo viviendo?
MUJER 2.ª. Por un descuido de los cuervos.
PARIENTE.

Pero hay algo que me acaricia el corazón.
No me defraudes, Zeus, de la esperanza que en
    mí nace.

(*Llega* EURÍPIDES *haciendo de Menelao. Es un náufrago envuelto en
una vela. Le acompaña un esclavo.*)

EURÍPIDES.

¿Quién de esta fortaleza tiene el mando
y puede recibir cual huéspedes a unos extranjeros que son
    víctimas
del mar furioso, en la tormenta y el naufragio?

PARIENTE.

Estás ante el palacio de Proteo.

EURÍPIDES.

¿De qué Proteo?

MUJER 2.ª. Tres veces desgraciada, miente, por las dos diosas:
    pues Proteas[67] murió hace diez años ya.

---

[66] Ante Troya.
[67] La Mujer confunde al rey Proteo de Egipto con Proteas. Éste es probablemente el almirante ateniense hijo de Epicles, de que habla Tucídides
(I, 45, II, 3).

EURÍPIDES.

¿Y qué país es éste al que hemos arribado con nuestra nave?

PARIENTE.

A Egipto.

EURÍPIDES.

¡Desdichado de mí, a dónde he navegado!

MUJER 2.ª. ¿Haces caso a ese infame que va a morir en forma infame y que te cuenta un cuento? Éste es el templo de las diosas Tesmóforos.

EURÍPIDES.

¿Proteo está dentro o está forastero?

MUJER 2.ª. Sin duda, oh extranjero, que te dura el mareo. Oíste que Proteas ha muerto y sigues preguntando: «¿está dentro o está forastero?».

EURÍPIDES.

¡Ay de mí, ha muerto! ¿Dónde fue sepultado en un sepulcro?

PARIENTE.

Ésta es su tumba, donde nosotras nos sentamos.

MUJER 2.ª. Mueras de mala muerte —y morirás, sin duda—, tú que osas llamar tumba a nuestro altar.

EURÍPIDES. (*Al* PARIENTE.)

Y tú, ¿por qué te sientas en la tumba
cubierta con un velo, oh extranjera?

[197]

PARIENTE.

Es que me obligan
a unir mi lecho, en boda, al hijo de Proteo.

MUJER 2.ª. ¿Por qué engañas, tres veces maldito, al entranje-
ro? Este canalla subió aquí, extranjero, con las mujeres
para robarles las joyitas.

PARIENTE.

Puedes ladrar, rociando mi persona con ultrajes.

EURÍPIDES.

Extranjera: ¿quién es la vieja que habla tan mal de ti?

PARIENTE.

Es Teónoa, hija de Proteo.
                    Por las dos diosas

MUJER 2.ª. Que yo soy Critila, la hija de Antiteo, del demo de
Gargueto[68]. Y tú eres un sinvergüenza.

PARIENTE.

Di lo que quieras
Jamás voy a casarme con tu hermano,
y a ser infiel a Menelao, mi esposo, que está en Troya.

EURÍPIDES.

¿Qué me has dicho, mujer? Vuelve a mí tus pupilas.

PARIENTE. *(Se quita el velo.)*

Tengo pudor de ti: me han ultrajado las mejillas.

---

[68] De la tribu Egeide.

[198]

EURÍPIDES.

¿Qué es esto? Me he quedado sin habla.
¡Dioses! ¿qué visión veo? ¿Quién sois, señora?

PARIENTE.

¿Y tú quién eres? La misma pregunta
se nos viene a la boca a ti y a mí.

EURÍPIDES.

¿Eres griega o de esta tierra?

PARIENTE.

Griega. Quiero saber lo tuyo yo también.

EURÍPIDES.

Os veo, señora, muy semejante a Helena.

PARIENTE.

Y yo a ti a Menelao; *(aparte)* lo veo por las hortalizas de tu
madre[69].

EURÍPIDES.

Bien has reconocido a un varón infeliz.

PARIENTE.

¡Oh qué tarde llegaste de tu esposa al abrazo!
Tómame, esposo, tómame, echa en torno tus brazos.
Déjame que te bese. Llévame, llévame, llévame, llévame
contigo pronto, rápido.

---

69 El Pariente rompe la ilusión escénica aludiendo a la supuesta profesión
de la madre de Eurípides.

MUJER 2.ª. Va a llorar el que te lleve, por las dos diosas. Le pegaré con la lámpara.

EURÍPIDES.

¿Tú me estorbas que me lleve a mi esposa,
a la hija de Tindáreo, Helena, de nuevo a Esparta?

MUJER 2.ª. ¡Ay qué canalla me parece que eres tú también y cómplice del otro! No sin motivo hablabais de Egipto hace ya rato[70]. Pero éste sufrirá el castigo: pues ya vienen los prítanis y el arquero[71].

EURÍPIDES. Mal asunto. Hay que largarse.

PARIENTE. ¿Y qué haré yo, infeliz de mí?

EURÍPIDES. Está tranquilo. No voy jamás a traicionarte, mientras aliente, salvo que me fallen mis trucos infinitos.

PARIENTE. Pues esta caña no ha sacado ningún pez.

(EURÍPIDES *se aleja. Llegan el* ARQUERO *y un* PRÍTANIS *con un látigo.*)

PRÍTANIS. ¿Es éste el delincuente de que nos habló Clístenes? (*Al* PARIENTE.) Tú, ¿por qué agachas la cabeza? (*Al* ARQUERO.) Mételo dentro y átale, arquero, al palo; ponle luego aquí y no permitas que se le acerque nadie; si uno se acerca, dale con el látigo.

MUJER 2.ª. Sí, por Zeus, que hace un momento casi me lo quita un individuo zurcevelas.

PARIENTE. ¡Oh prítanis! Por tu mano derecha, que alargas abierta si alguien te da dinero, hazme un favor pequeño, aunque voy a morir.

PRÍTANIS. ¿Qué favor quieres?

---

[70] Alude a la fama de enredadores y tramposos que entre los griegos tenían los egipcios.

[71] Los prítanis eran los miembros de la Comisión ejecutiva del Consejo, en funciones durante poco más de un mes. Los arqueros hacían de policías; eran habitualmente escitas. Así en este caso: Aristófanes imita su griego chapurreado, lo que intentamos reflejar en la traducción.

PARIENTE. Ordena que el agente me desnude y me ate al poste en cueros para que un viejo como yo con un vestido azafranado y una diadema, no dé a los cuervos que reír cuando les sirva de festín.

PRÍTANIS. El Consejo acordó que había que atarte con esos atavíos, para que sea claro para los que te vean que eres un malhechor.

PARIENTE. ¡Attatatayá! ¡Túnica azafranada, qué me has hecho! No queda ya esperanza alguna de salvación.

(*Salen el* PARIENTE *y el* ARQUERO, *entran en el templo.*)

MUJER CORIFEO.
Bailemos nosotras ahora, como aquí siempre las mujeres
cuando hacen la fiesta solemne en el tiempo sagrado a las
    diosas.
    La celebra también Pausón[72] y ayuna:
    a ellas muchas veces, de una fiesta
    a la del otro año, les suplica
      no descuidarla nunca.

Adelante, marchad con pie ligero, corred en círculo,
coged la mano con la mano, el ritmo de la danza sagrada
todas seguid. Bailad con pie ligero. Debéis mirar,
los ojos dirigiendo a todas partes, todas las del coro.

CORO.

Estrofa 1.

    Y también, sí,
  de los Olímpicos la raza
cantad, celebrad todas en los transportes de la danza.

---

[72] En diversos pasajes de Aristófanes es el prototipo del individuo miserable.

Antístrofa 1.

Y si hay alguno
que está esperando que hable mal
yo mujer, aquí en el templo, de los hombres yerra.

Antístrofa 2 (bis).

Es, pues, preciso,
como es nuestro deber, al punto,
del baile circular hacer girar el paso hermoso.

Estrofa 2.

Avanza, al de la bella lira[73]
cantando y también a la arquera,
   la diosa pura Ártemis.
   Salud, of flechador,
   danos tú la victoria.
A Hera que cumple el matrimonio
cantemos también, como es justo,
la que baila con todos los coros,
   guarda las llaves de la boda.

Antístrofa 2.

Al pastor Hermes yo saludo
y a Pan y a las ninfas amigas:
   benévolos sonrían,
   alegres, a las danzas
   de este coro nuestro.
Comenzad con buen ánimo
   el doble paso de la danza.
Bailemos, oh mujeres, como siempre,
   aunque guardemos el ayuno.

---

73 Apolo. El coro de mujeres celebra a los dioses principales, abandonando el tono de parodia.

Todas.

Mas esa, salta y gira con pie rítmico:
    tornea tus canciones,
    Dirígenos tú mismo,
    Baco, dios de la hiedra,
    Señor; que yo con mi cortejo
amante de la danza he de cantarte.

Estrofa 3.

Hijo de Zeus, Dioniso,
    y de Sémele, Bromio,
    tú caminas gozando
      en la montaña
con los cantos amables de las ninfas:
    al son de «¡evoí!», «¡evoí!»
la noche entera guías la danza.

Antístrofa 3.

Y en torno a ti resuena
    del Citerón [74] el eco;
    las montañas de negras
    hojas, sombrías,
retumban y los valles pedregosos.
    Rodeándote, la hiedra
    florece de hojas bellas.

(*El* CORO *se retira al fondo de la orquesta. Entra el* ARQUERO, *que trae al* PARIENTE *colgado del poste.*)

ARQUERO. Gemirás aquí a la sereno.
PARIENTE. Arquero, te suplico...
ARQUERO. No suplicar tú mí.

---

[74] El monte Citerón, entre Atenas y Beocia, es el lugar donde se localizan diversos mitos dionisiacos. En él danzaban las bacantes tebanas que dieron muerte a Penteo.

PARIENTE. Afloja la argolla.

ARQUERO. Eso hacer yo.

PARIENTE. Pobre de mí, aprietas más.

ARQUERO. ¿Tú más querer?

PARIENTE. ¡Attatataí, iattatataí! ¡Mueras de mala muerte!

ARQUERO. Chitón, maldito viejo. Paya, yo traer estera para pigilarte ti. (*Sale.*)

PARIENTE. Estos son los regalos que he sacado de Eurípides. (*Ve venir a* EURÍPIDES *disfrazado de Perseo.*) ¡Dioses ¡Zeus Salvador! Hay todavía esperanza. El tipo no va a traicionarme, me parece: al salir de su casa disfrazado de Perseo, me ha hecho una seña, con disimulo, para que haga yo de Andrómeda[75]. La verdad, ya tengo las cadenas, como ella. Es claro que vendrá a salvarme. No habría, si no, venido aquí volando con sus sandalias aladas.

(*El* PARIENTE *canta, haciendo el papel de Andrómeda.*)

> Doncellas amigas, amigas,
> ¿de qué manera podría huir yo y escapar del escita?
> ¿Me oyes, ninfa Eco[76], que repites mis versos en las
>   cuevas?
> Dime que sí, permíteme
> irme con mi mujer[77].
> Es sin piedad el que aquí ató
> al hombre más desventurado.
> Apenas si huí de esa vieja
> podrida: ¡e igual perecí!
> Pues este guardia escita,
> aquí apostado, me ha colgado

---

[75] Sobre la *Andrómeda*, véase la Introducción. Era su padre Cefeo quien, como víctima propiciatoria para evitar que se cumplieran malos presagios, la había atado a la roca, en Etiopía. Perseo la salvó y se unió a ella.

[76] Sólo con la ninfa Eco puede hablar Andrómeda, en su abandono solitario. La escena es imitación de Eurípides, con rasgos cómicos. En lo que sigue hay varias citas de la *Andrómeda*, nos dice el escoliasta.

[77] El Pariente ya habla como Andrómeda ya, inadvertidamente, se refiere a sí mismo. Su terror le impide asumir completamente el personaje que está representando.

cual triste, cruel pasto de los cuervos.
   Tú lo ves, no entre danzas
ni al lado de tiernas doncellas
sostengo una urna[78] aquí en pie;
que atada con cadenas rigurosas
de Glaucetes[79], el monstruo, seré pasto.
   Con canto no de bodas,
   con canto de cadenas
llorad por mí, mujeres, porque
miserias padezco la mísera
   —triste, triste de mí—
y crueles dolores por obra
de mi padre. Imploro a un varón
ardiendo en lacrimosos, fúnebres lamentos
   —¡ay, ay! ¡ay, ay!—:
a un varón que me ha depilado,
vestido luego de azafrán;
y que tras ello me envió a este templo
   de las mujeres.
Oh deidad inflexible del destino,
   ¡Oh maldito de mí!
   ¿Quién no va a contemplar
este suplicio doloroso, rodeado de males?
   Bien quisiera que el ígneo astro celeste
   me diera muerte al desdichado.
   Pues la inmortal llama del sol
   no quiero ver, aquí colgado
con un dolor atroz en mi garganta
para hacer compañía a los cadáveres.

(EURÍPIDES *llega disfrazado de ninfa Eco.*)

EURÍPIDES. Salud, niña querida; a tu padre Cefeo que ahí te
   encadenó, ojalá que los dioses le den muerte.

---

[78] Incongruentemente, se trata de la urna de los votos. Es una palabra no
esperada, para hacer reír.
[79] El monstruo mítico es sustituido por el nombre de un famoso glotón
ateniense.

PARIENTE. ¿Quién eres tú, que compadece mi desgracia?

EURÍPIDES. Soy Eco, la ninfa que repite las palabras, la burlona; la que el año pasado, en este teatro mismo, fui personaje de Eurípides. (*Al* PARIENTE.) Hija, debes cumplir con tu deber: llorar en forma que dé pena.

PARIENTE. Y tú gemir después de mí.

EURÍPIDES. Me ocuparé de ello. Comienza tus lamentos.

PARIENTE.

Noche sagrada,
    ¡qué larga cabalgada corres:
por la estrellada espalda el carro llevas
    del éter sacro
a través del Olimpo venerable!

EURÍPIDES. Venerable.

PARIENTE.

¿Por qué yo, Andrómeda, en exceso
mi lote obtuve de desgracias?

EURÍPIDES. De desgracias.

PARIENTE.

La muerte el desdichado...

EURÍPIDES. La muerte el desdichado...

PARIENTE. Vas a matarme, vieja con tu charla.

EURÍPIDES. Con tu charla.

PARIENTE. De verdad que has venido impertinente en demasía.

EURÍPIDES. En demasía.

PARIENTE. Amiga[80], déjame cantar el solo. Me harás un favor. Cállate.

EURÍPIDES. Cállate.

PARIENTE. Vete a los cuervos.

EURÍPIDES. Vete a los cuervos.

---

[80] Se rompe una vez más la ilusión escénica: el Pariente se dirige a Eurípides.

[206]

PARIENTE. ¿Qué desgracia...?
EURÍPIDES. ¿Qué desgracia...?
PARIENTE. Chocheas.
EURÍPIDES. Chocheas.
PARIENTE. Gime.
EURÍPIDES. Gime.
PARIENTE. Laméntate.
EURÍPIDES. Laméntate.

(*Vuelve el* ARQUERO *con una estera.*)

ARQUERO. Tú, ¿qué es eso que charlas?
EURÍPIDES. Tú, ¿qué es eso que charlas?
ARQUERO. Prítanis llamaré.
EURÍPIDES. Prítanis llamaré.
ARQUERO. ¿Qué desgracia?
EURÍPIDES. ¿Qué desgracia?
ARQUERO. ¿De dónde salir la poz?
EURÍPIDES. ¿De dónde salir la poz?
ARQUERO. ¿Tú charlas?
EURÍPIDES. ¿Tú charlas?
ARQUERO. Tú ir a llorar.
EURÍPIDES. Tú ir a llorar.
ARQUERO. ¿Tú el pelo me tomar?
EURÍPIDES. ¿Tú el pelo me tomar?
PARIENTE. No, es esta mujer de aquí al lado.
EURÍPIDES. De aquí al lado.
ARQUERO. ¿Dónde está esa maldita?
PARIENTE. Se escapa. (*La* MUJER 2.ª *huye.*)
ARQUERO. ¿Onde, onde te espapas?
EURÍPIDES. ¿Onde, onde te espapas?
ARQUERO. No ti provechará.
EURÍPIDES. No ti provechará.
ARQUERO. ¿Gruñes todavía?
EURÍPIDES. ¿Gruñes todavía?
ARQUERO. Coger yo eso canalla. (*Hace ademán de perseguir a la* MUJER.)
EURÍPIDES. Coger yo eso canalla. (*Sale corriendo detrás de la* MUJER.)
ARQUERO. Charlatano y maldito mujerucho.

(Eurípides *vuelve, ahora en el papel de Perseo.*)

Eurípides.

Oh dioses, ¿a qué tierra barbárica he llegado
con mi sandalia rápida? Por en medio del éter
abriéndome camino asiento mi pie alado,
yo Perseo, que me encamino a Argos llevando de la Gorgona
la cabeza.

Arquero. ¿Qué dicir tú? ¿De Gorgón[81] segretario tú la
 capeza?
Eurípides. De la Gorgona, afirmo.
Arquero. Gorgón dicir yo tamién.
Eurípides.

¡Oh! ¿Qué colina es ésta, qué doncella
semejante a las diosas y anclada como nave?

Pariente.

Ten piedad, extranjero, de mí la infortunada:
desata mis cadenas.

Arquero. No charlear tú. Caprito, ¿tenes cara pa charlear?
 Tú ir a espicharla.
Eurípides.

Oh doncella, siento piedad de ti, viéndote ahí colgada.

Arquero. No ser doncello, ser un viejo asquerosa, latrón y
 bripón.

---

81 Como es sabido, la principal hazaña de Perseo era haber cortado la cabeza de una de las Gorgonas (o de la principal de ellas, Medusa). Pero el escita, en su incultura, confunde a la Gorgona con un secretario Gorgón, como
antes a Proteo con Proteas.

EURÍPIDES.
                    Dices locura, escita;
esta es Andrómeda, hija de Cefeo.

ARQUERO. Mirar tú el moño: ¿ti parece piquiñito?

EURÍPIDES.

Dame la mano, niña: quiero cogerla.
Mira, escita: mal de amores les llega a los humanos,
a todos. Así también en mí por esta niña
el amor ha hecho presa.

ARQUERO. Yo no envidiarte. Pero si lo culo estar vuelto pa
   aquí, yo no prohibir a ti culear ello.
EURÍPIDES.

¿Por qué, oh escita, no la desatas y me dejas
arrojarme en su lecho, su tálamo nupcial?

ARQUERO. Si puertemente querer tú culear a esa viejo, perpo-
   rar tú la tapla y trasearlo de detrás.
EURÍPIDES.
   No: soltaré sus cadenas.
ARQUERO. Azotarte yo, entonces.
EURÍPIDES.
   Pues lo haré, sin embargo.
ARQUERO. Tu capeza, entonces, cuchillo éste cortar.
EURÍPIDES.

¡Ay, ay! ¿Qué hacer? ¿Qué argumentos buscar?
Pero no va a aceptarlos su natural barbárico.
Si a un necio le presentas ideas nuevas y sabias
pierdes tu tiempo[82]. Hay que acudir a otro recurso que le
   vaya.

(EURÍPIDES *se va. El* ARQUERO *vuelve a sentarse en la estera.*)

_____

82 Hay alusiones a pasajes de Eurípides; la última a *Medea,* 298.

Coro.

Todas.

A Palas[83] danzarina debo
Pedirle que venga a mi coro,
   a la doncella intacta

Estrofa 1.

Que la ciudad nuestra gobierna
y tiene el poder ella sola:
   su llavera la llaman.

Todas.

Muéstrate tú que odias
a todos los tiranos.

Antístrofa 1.

Te está llamando el pueblo todo
de las mujeres: ven trayendo
   la paz que ama las fiestas.

Estrofa 2.

Venid benévolas, propicias,
diosas, a este vuestro templo:
no pueden contemplar los hombres
los ritos venerables que aquí brillan
entre antorchas, visión inefable.

Antístrofa 2.

Venid, llegad, os suplicamos,

---

[83] En este último himno las mujeres se dirigen otra vez a las dos diosas
Tesmóforos, pero sobre todo a Palas, patrona de Atenas.

las dos Tesmóforos gloriosas.
Si antes alguna vez oyéndonos
vinisteis, presentaos ahora,
lo imploramos, aquí junto a nosotras.

(*El* ESCITA *se duerme. Llega* EURÍPIDES, *sin disfraz y con un harpa; le acompañan un flautista y una bailarina.*)

EURÍPIDES. Mujeres, si queréis hacer la paz conmigo para siempre, ahora podéis hacerla, con el compromiso de que yo no voy ya nunca a hablar mal de vosotras. Esto es lo que os propongo.

MUJER CORIFEO. ¿Por qué motivo nos haces ese ofrecimiento?

EURÍPIDES. Este que está en el poste es un pariente mío. Si logro rescatarlo, ya nunca más hablaré mal de vosotras. Pero si no me hacéis caso, todas vuestras trapisondas en casa voy a contárselas a vuestros maridos cuando vuelvan del ejército.

MUJER CORIFEO. Por nuestra parte, nos tienes convencidas. Pero a ese bárbaro trata de convencerle tú.

EURÍPIDES. Eso es cosa mía. (*A la bailarina.*) Lo tuyo, gacelita, es acordate de hacer lo que te expliqué por el camino. Primero, ve hacia él y vuelve a mí danzando sobre las puntas de los pies. (*Al flautista.*) Y tú, Teredón, toca a la flauta un aire persa.

(*Comienza la danza al son de la flauta.* EURÍPIDES *se disfraza de vieja y el* ARQUERO *se despierta.*)

ARQUERO. ¿Qué «bom bom» es ése? ¿Venir una ronda a despertarme?

EURÍPIDES. La chica quería ensayar, agente. La han contratado para bailar ante unos señores.

ARQUERO. Poder bailar y cantar, yo no prohibir. ¡Qué ligero la chica, como pulga en pellizo de cordero!

EURÍPIDES. Sácate el vestido por arriba y dámelo, hija. Siéntate en las rodillas del escita y alárgame los pies para descalzarte.

Arquero. Chí, chí, chiéntate, chí, chí, hijita. ¡Ay qué duro las tetitas, como rabanito!

Eurípides. (*Al flautista.*) Toca a ritmo más rápido. ¿Todavía tienes miedo del escita?

Arquero. ¡Qué bella culo? (*A su miembro en erección.*) ¡Tú llorar si no estar quieto dentro! ¡Vaya! Buen pigura de danza, la de la pilila!

Eurípides. (*A la bailarina.*) Ya está bien. Coge tu vestido: es hora de irnos.

Arquero. ¿No pesar primero a mí?

Eurípides. Bien, bésale.

Arquero. ¡Oh, oh, oh papapapaí! ¡Qué dulzo la lengua, como miele ático! ¿Por qué no acostar conmigo?

Eurípides. Adiós, arquero. Eso no es posible.

Arquero. Chí, chí, viejita, hazme ese pavor.

Eurípides. ¿Me darás una dracma?

Arquero. Chí, chí, yo dar.

Eurípides. Venga el dinero.

Arquero. Yo no tener. Pero coge la carcaj, luego traerla. Ven con mí, niña. Tú vigila a este viejo, viejita. ¿Cómo te chamas?

Eurípides. Artemisa[84].

Arquero. Yo recordar tu nombre: Artamuxía. (*Sale con la flautista.*)

Eurípides. Hermes, dios del engaño, hasta ahora todo lo estás haciendo bien. (*Al flautista.*) Tú pírate, muchaco, coge esto (*le alarga el harpa*); yo voy a desatar a ése. (*Al* Pariente.) ¡Tú, como un macho, a salir pitando en cuanto te desate y a largarte a casa, con tu mujer y tus niñitos!

Pariente. Eso es asunto mío, en cuanto me desates.

Eurípides. Ya estás desatado. Ahora es tu asunto, huye antes de que vuelva el arquero y te encuentre.

Pariente. Es lo que hago. (*Sale corriendo y con él* Eurípides, *por el camino de la derecha. Vuelve el* Arquero.)

Arquero. Viejita, cómo acradable la niñita, no huraño dul-

---

84 Es el nombre de una reina de Caria bien conocida por su intervención en la batalla de Salamina. Una vez más el escita testimonia su incultura al deformar el nombre.

recito. ¿Dónde está la viejita? No me gusta la vieja. ¡Artamuxía!

Me engañó la vieja. (*Ve el carcaj en el suelo, le da una patada.*) ¡Toma, al cuerno tú lápido! Es custo que te chamen carcaj: me has carcaj-odido. ¡Ay! ¿qué hacer yo? ¿Dónde la viejita? ¡Artamuxía!

MUJER CORIFEO. ¿Preguntas por la vieja del harpa?

ARQUERO. Chí, chí, ¿La viste?

MUJER CORIFEO. Por ahí se ha ido, ella misma y un viejo la seguía.

ARQUERO. Lo viejo, ¿con un pestido achafrán?

MUJER CORIFEO. Justo. Aún puedes alcanzarlos, si los persigues por ahí. (*Para engañar al* ESCITA *señala el camino de la izquierda, hacia el templo, subiendo.*)

ARQUERO. ¡Maldito vieja! ¿Por cuál camino correr yo?

(*No ha visto la dirección que le señala la* CORIFEO *y corre hacia la derecha, hacia abajo, en la buena dirección.*)

¡Artamuxía!

MUJER CORIFEO. (*Engañándole.*) ¡Sube todo derecho! ¿A dónde vas? No, es por este otro lado. Corres en dirección contraria.

ARQUERO. ¡Yo pringado! Pero correr. ¡Artamuxía! (*Sale corriendo por la izquierda.*)

MUJER CORIFEO. Corre y vete a los cuervos, rápido, con viento fresco.

    Terminó la comedia, ya es bastante.
    Es tiempo ya de irnos
a casa cada una. Las Tesmóforos
    ojalá su favor
    nos den por esto a todas.

LA ASAMBLEA DE LAS MUJERES

INTRODUCCIÓN

ESTA comedia, presentada no sabemos con qué éxito en el 391 a. C., ya entrado el siglo IV, pertenece a un género que hace de transición hacia las llamadas comedia media y nueva, que culminan, a fin de siglo, con Menandro. Ello se nota, entre otras cosas, por la mucho menor presencia de la crítica de la política contemporánea y de personajes vivos y por el uso muy restrictivo del coro.

Efectivamente, el coro de mujeres desfila en el teatro en dos ocasiones, yendo a la Asamblea y volviendo de ella, pero no hay enfrentamientos (*agones*) con intervención del mismo. Ni hay parábasis propiamente: el pasaje 571 y ss. tiene cierto parecido formalmente, pero forma parte del argumento, es la exposición de los planes de la heroína Praxágora. Las palabras del corifeo en 1154 y ss. pidiendo a los jueces que den el premio a la comedia están más cerca de los temas propios de una parábasis, pero el brevísimo pasaje difiere por la forma. En otras ocasiones, los manuscritos testimonian la presencia de un coral para rellenar los entreactos; son corales que no nos han sido transmitidos, probablemente composiciones líricas sin relación con la acción.

No faltan, sin embargo, los elementos típicos de la comedia: el plan fantástico, el héroe (heroína en este caso) que lo hace triunfar increíblemente, el tema del mundo al revés, el final feliz. Ni, tampoco, el tema político (aunque sólo en términos genéricos) y el colectivo.

La decadencia económica de Atenas tras la pérdida de la guerra del Peloponeso el 404, hizo que fueran los temas económicos los que primaran en este momento. Esto se ve también por el *Pluto,* por el tratado *Sobre los ingresos* de Jenofonte, por teorías reformistas de Faleas y otros, etc. *La Asamblea* propugna un plan para lograr la igualdad económica de los ciudadanos, siguiendo ideas procedentes de Faleas, quizá de Protágoras; parece que ya la comedia *Tyrannis* de Ferécrates es un antecedente. Son ideas que estaban en el aire, como sabemos por Aristóteles *(Política,* 1266 a 31).

Se combinan aquí con la teoría de la comunidad de las mujeres y los hijos, en forma hasta cierto punto semejante a las propuestas del libro II de la *República* de Platón. Se ha escrito mucho sobre esta relación, que seguramente procede de un fondo común de ideas anteriores. Por otra parte, en Aristófanes estas ideas se exponen en el contexto de temas cómicos como son el del enfrentamiento de hombres y mujeres y el del mundo al revés. Serán las mujeres las que, levantándose de madrugada y poniéndose los vestidos de sus maridos, acudirán a la Asamblea e impondrán allí su plan, de cuya bondad convencerán luego a sus maridos.

Hay un largo prólogo en el que la heroína Praxágora propone este plan y lo madura y ensaya con las demás mujeres, que luego salen, formando el coro, del teatro en dirección a la Asamblea (285 y ss.)

En su ausencia hablan Blépiro, marido de Praxágora, y un vecino que, al no encontrar sus vestidos, aparecen con los de ellas: el típico cambio de vestidos de la comedia, que en esto sigue a ciertos rituales de los que deriva. Y llega de la Asamblea Cremes, otro vecino: en un diálogo con Blépiro cuenta la resolución de entregar el poder a las mujeres y el programa comunista de éstas.

Y llega el coro, de vuelta de la Asamblea, el cual recupera sus antiguos vestidos femeninos: hay un breve coral (478 y ss.) Seguidamente, Praxágora se hace primero la ignorante de lo sucedido, pero después explica a Blépiro y Cremes las ventajas del nuevo orden, que establecerá la igualdad, la solución de los problemas económicos, la desaparición de los pleitos. El pasaje principal es el antes aludido de tipo de parábasis (571 y ss.), en el que Praxágora expone a Cremes los principios de la igualdad económica y sexual. El tono de ella es serio, aunque la cosa deriva, a veces, en salidas puramente cómicas. Cuando se pregunta que quién va a trabajar en el nue-vo estado paradisiaco, se contesta que los esclavos: a éstos no les alcanza, parece, la igualdad.

Triunfador el plan de la heroína, sólo falta poner en práctica sus ideas e introducir las habituales escenas de ejemplificación de su victoria. Vuelve a ponerse en marcha el argumento cuando (711 y ss.) Praxágora, la «generala», se despide para marchar al ágora a preparar la recogida de los bienes individuales que vayan siendo entregados y organizar el gran banquete colectivo.

Tras su salida y un intermedio coral cuyo canto no se nos transmite, hay una doble escena de ejemplificación (730 y ss.): Cremes lleva sus cosas y un hombre se niega, egoístamente, a hacerlo, pero está dispuesto a participar en el banquete, lo que lógicamente no se le permite. La escena es de un tipo muy común.

Otro intermedio coral sin palabras nos lleva a la segunda escena de ejemplificación, esta triple y relativa a la igualdad sexual. Según las nuevas leyes, los hombres deben acostarse con las viejas antes de hacerlo con las jóvenes. Es lo que intentan tres viejas horribles que sucesivamente van apareciendo y la última de las cuales, finalmente, mete al joven en su casa. Todo ello entre parodias líricas y la escena lírica de tipo tradicional de la joven y el joven, que ven frustrado su mutuo deseo por las viejas. El joven, raptado por la violencia, se despide con un parlamento de parodia trágica (1098-111).

Todo termina con una escena de banquete, también usual al final de las comedias; pero sin elementos eróticos (en realidad, están en la escena de las viejas). La Servidora llega para llevar a Blépiro al banquete: el diálogo entre ambos y la danza de los dos cierra la comedia.

En *La Asamblea* la comedia ha perdido, quizá, parte de su antigua virulencia, pero no su alianza de ideología, fantasía y crítica ni su adscripción a los temas centrales de la ciudad. Resuenan ecos de *Lisístrata* y se anticipan cosas de los filósofos reformistas que, a lo largo del siglo IV y aun después, intentaron edificar sobre nuevas bases la vida pública, acudiendo en ocasiones a la presentación de utopías no muy distantes de las de los cómicos.

PERSONAJES

Praxágora, heroína de la pieza
Mujer 1.ª
Mujer 2.ª
Blépiro, marido de Praxágora
Un hombre
Cremes, vecino de Blépiro y Praxágora
Heralda
Vieja 1.ª
Vieja 2.ª
Vieja 3.ª
La joven
El joven
Servidora

(La escena representa una plaza de Atenas con las casas de BLÉPI-
RO, *del* HOMBRE, *de* CREMES *y de las tres viejas.)*

PRAXÁGORA. *(Sale sola ante su casa, con su candil; aún es de noche. Va
vestida de hombre, con bastón y sandalias laconias, con correas en toda
la pantorrilla: bajo el brazo, lleva una barba postiza. Declama dirigiéndose al candil.)*
Ojo brillante del candil trabajado por el torno, hallazgo el
más hermoso de inventores certeros (tu nacimiento y tu
fortuna explicaremos, pues tras haber girado por obra de la
rueda movida por el alfarero tienes en tus narices una gloria luminosa, propia del sol), lanza la señal convenida de
tu llama. Pues sólo a ti te lo explicamos: con razón, pues
que también cuando nos entregamos, dentro de nuestra al-
coba, a los meneos de Afrodita, nos acompañas allí cerca, y
a tu ojo que vigila los cuerpos nuestros que se arquean, nadie lo echa de su casa. De nuestros muslos en los secretos
ángulos tú solo echas tu luz mientras chamuscas el vello
que florece allí; y cuando abrimos a hurtadillas las despen-
sas llenas de grano y de licor de Baco, estás a nuestro lado:
y haciendo esto con nosotras, no se lo cuentas al vecino[1].
Por esto, vas a enterarte de nuestros planes de hoy, los que
han acordado mis amigas en la fiesta de las Esciras[2]. *(Pausa.)* Pero no está ninguna de las que tenían que venir. Y eso
que ya está casi amaneciendo y la Asamblea va a ser ahora[3]

---

[1] Alude al tópico de la afición de las mujeres al vino.
[2] Fiesta ateniense en junio y julio, en honor de Deméter y Core (Perséfona), parece que emparentada con las Tesmoforias.
[3] La Asamblea del Pueblo se celebraba al amanecer, en la Pnix.

enseguida y debemos ocupar los asientos que Enredóma-co[4] dijo una vez, si os acordáis, «asientos fulanescos», dijo, y hacer que nuestras cosas no se nos vean al sentarnos. (*Pausa.*) ¿Qué puede suceder? ¿No tienen bien cosidas las barbas que se les dijo que tuvieran? ¿O después de coger la ropa del marido les ha sido difícil salir a ocultas? Pero veo que aquí se acerca ya un candil. Ea, voy a emprender la retirada, no vaya a ser un hombre el que se acerca.

(*Entra la* MUJER A, *también con candil y ataviada igual que* PRA-XÁGORA. *Luego otras más todas con su candil: son las* MUJERES B *y* C *y el* CORO.)

MUJER A. Es hora de ir ya, hace un momento que el heraldo, según veníamos, lanzó el segundo quiquiriquí[5].

PRAXÁGORA. Esperándoos, me he pasado sin dormir toda la noche. Vaya, voy a llamar a la vecina dando a su puerta un toquecito, porque debe escaparse sin que se entere su marido. (*Llama.*)

MUJER B. Ya oí el golpear de tus nudillos mientras me abrochaba las sandalias, no dormía. Es que, querida, mi marido —porque es de Salamina el que vive conmigo— toda la noche me ha dado con el remo entre las mantas[6], así que hace un instante que le cogí el vestido.

PRAXÁGORA. Estoy viendo a Clenáreta y a Sóstrata, ya está aquí, y a Filéneta. ¿No vais a daros prisa? Porque Glica ha jurado que la que llegue la última pagará una arroba de vino y un kilo de garbanzos torrados.

MUJER B. ¿Y no ves a Melitisca, la de Esmicitión, cómo viene corriendo con sus sandalias? Y eso que me parece que sólo ella se ha escapado del marido fácilmente.

MUJER A. ¿Y no ves a Geusístrata, la del tabernero, con su antorcha en la mano?

---

[4] Mote dado a un tal Cleómaco, que trabucaba las palabras, así en la frase griega traducida a continuación por «asientos fulanescos».

[5] Se califica de heraldo (que convoca a la Asamblea) al gallo que lanza su canto de mañana.

[6] Los atenienses que vivían en la isla de Salamina debían trasladarse a la ciudad en barca; de ahí el juego de palabras con alusión sexual.

PRAXÁGORA. Veo también que se acercan la de Filodoreto y la de Quietadas y otras muchas mujeres, todo lo que hay de provecho en la ciudad.

MUJER C. Y con bien de trabajo, queridísima, que me escurrí escapándome. Toda la noche ha estado con arcadas mi marido de haberse hinchado de boquerones ayer tarde.

PRAXÁGORA. Sentaos, que voy a preguntaros, ahora que os veo reunidas, si habéis hecho lo que acordamos en las Esciras. (*Se sientan.*)

MUJER A. Yo sí. Lo primero, tengo los sobacos más espesos que un matorral, como quedó acordado. Y luego, cada vez que mi hombre salía a la plaza, me frotaba de aceite todo el cuerpo y me bronceaba, todo el día de pie al sol[7].

MUJER B. Yo también. Y antes que nada tiré lejos de casa la navaja, para ponerme toda peluda y que no me pareciera ya nada a una mujer.

PRAXÁGORA. ¿Y tenéis las barbas que se os dijo que tuvierais todas cuando nos reuniéramos?

MUJER A. Sí, por Hécate, es muy hermosa ésta.

MUJER B. Yo tengo una mucho más bella que la de Epícrates[8].

PRAXÁGORA. ¿Y qué decís vosotros?

MUJER A. Dicen que sí, inclinan la cabeza.

PRAXÁGORA. Lo demás, veo que lo habéis hecho. Tenéis sandalias de Laconia, bastones y vestidos de hombre, como dijimos.

MUJER A. Mira, yo me he traído el bastón de Lamias, mientras dormía, a escondidas.

PRAXÁGORA. Es uno de esos que lleva de paseo tirando pedos como la bruja Lamia[9].

MUJER B. Por Zeus Salvador, sería muy a propósito, como el que más, para vestirse la pelliza de Argos Omnividente, pastor de Io, y ser también pastor... de nuestro pueblo[10].

---

[7] Para hacerse pasar por hombres, las mujeres, pálidas de apenas salir a la calle, se broncean al sol.

[8] Personaje a cuya larga barba hacen alusión los cómicos.

[9] La Lamia es una bruja hermafrodita, amenazadora y grosera; con ella es comparado un tal Lamias, marido de una de las mujeres.

[10] Argos, pastor monstruoso de numerosos ojos, fue encargado por Zeus

PRAXÁGORA. Bueno, vamos a hacer ya lo que viene después, mientras hay todavía estrellas en el cielo. La Asamblea a la que estamos preparadas para ir, será al amanecer.

MUJER A. Sí, por Zeus, debes coger asiento al pie de la tribuna, enfrente de los prítanis[11].

MUJER B. Yo me he traído esta cosita (*gesto obsceno*) para cardarla un poco mientras se llena la Asamblea.

PRAXÁGORA. ¿Mientras se llena, desgraciada?

MUJER B. Sí, por Ártemis, yo. ¿Es que iba a oír peor mientras cardaba? Mis niñitos están desnudos.

PRAXÁGORA. Vamos, cardando tú, que debías no enseñar nada del cuerpo a los que asisten. Sería bonito si estuviera ya el pueblo todo y una, saltando entre las filas, al recogerse la falda enseñara el Formisio[12]. En cambio, si nos sentamos las primeras, no notarán nada cuando nos recojamos el vestido; y cuando echemos esa barba que nos vamos a atar, ¿quién dejará de creernos hombres en cuanto nos vea? Por lo menos, nadie se ha fijado en que el demagogo Agirrio[13] lleva la barba de Prónomo. Y eso que antes era una hembra: ahora en cambio lleva los asuntos más graves de Atenas. Por eso, por el día que ahora empieza, emprendamos esta empresa tan grande, a ver si podemos apoderarnos de los asuntos públicos para hacer una cosa beneficiosa para Atenas. Porque ahora, no navegamos ni a la vela ni al remo.

MUJER A. ¿Y cómo un femenil ayuntamiento de mujeres va a hablar en la Asamblea?

PRAXÁGORA. De manera excelente. Los jovencitos ésos, a los que más les dan, dicen que son los más sutiles para hablar: pues a nosotras, por una coincidencia, nos sucede lo mismo.

MUJER A. No estoy segura. Pero es horrible la falta de experiencia.

---

de vigilar a su amada Io, convertida en vaca por celos de Hera. Hay un juego de palabras, «pastor» es a la vez «engañador».

[11] Son la comisión permanente del Consejo, presente en la Asamblea.

[12] Personaje muy peludo. La alusión sexual es clara.

[13] General y demagogo ateniense, presentado como afeminado. Prónomo era un flautista muy barbudo.

PRAXÁGORA. Por eso con toda intención nos hemos reunido aquí primero, para ensayar lo que hay que decir allí. Venga, átate la barba y lo mismo las demás que tienen práctica en charlar.

MUJER B. ¿Quién de nosotras, desgraciado, no sabe bien charlar?

PRAXÁGORA. Vamos, tú, sujétate la barba y hazte hombre enseguida. Yo voy a ponerme una corona y a atarme la barba con vosotras, por si decido hablar.

MUJER B. Ven aquí, Praxágora, guapísima. Mira, infeliz, qué cosa más ridícula.

PRAXÁGORA. ¿Cómo que ridícula?

MUJER B. Es como si una se atara la barba con jibias a la plancha. (*Ensayo de Asamblea.*)

PRAXÁGORA. Purificador de la Asamblea, debes llevar en círculo la comadreja[14]. Pasad hacia adelante. Arífrades[15], deja de hablar. Pasa y siéntate. ¿Quién quiere tomar la palabra?

MUJER A. Yo.

PRAXÁGORA. Ponte la corona y que sea para bien.

MUJER A. Ya está.

PRAXÁGORA. Puedes hablar.

MUJER A. ¿Y voy a hablar sin beber antes?[16].

PRAXÁGORA. Vaya, con que beber.

MUJER A. ¡Y para qué me he puesto la corona, desgraciada?

PRAXÁGORA. Vete a la porra: allí[17] nos habrías hecho lo mismo.

MUJER A. ¿Y qué? ¿Es que no beben en la Asamblea?

PRAXÁGORA. Otra vez con que beben.

MUJER A. Sí, por Ártemis, y por cierto que vino sin aguar[18].

---

[14] Era ritual llevar en círculo un cerdito, antes de comenzar la Asamblea. Las mujeres pasean una comadreja, animal de la casa, que hace el papel del gato.

[15] Personaje afeminado muy satirizado por los cómicos.

[16] Otra alusión a la afición de las mujeres a la bebida.

[17] En la Asamblea de verdad, en vez de esta imaginaria.

[18] Se refiere al vino de la libación que se hace antes del comienzo de la Asamblea.

Y sus decretos, si se mira todo lo que resuelven, son locuras de borrachos. Y es verdad, por Zeus, que hacen libaciones de vino: o si no, ¿por qué dirían tantas plegarias al empezar, si no hubiera vino? Además, se insultan como hombres bebidos y al que delira por el vino, le echan fuera los arqueros de la policía.

PRAXÁGORA. Tú vete y siéntate, no vales para nada.

MUJER A. Por Zeus, cuánto más me valiera no tener barba, porque de tanta sed, creo yo, voy a quedarme seca. (*Vuelve a su sitio.*)

PRAXÁGORA. ¿Hay alguna otra que quiera hablar?

MUJER B. Yo.

PRAXÁGORA. Vamos, ponte la corona, que la cosa marcha. Ea, habla como un hombre, estupendamente, cargando tu figura en el bastón.

MUJER B. (*Se adelanta.*) Preferiría que algún otro de los que suelen dijera lo mejor para Atenas, y que yo pudiera seguir sentado en silencio. Pero no voy a permitir, en lo que valga mi opinión, que pongan en las tabernas depósitos de agua. No estoy de acuerdo, por las dos diosas[19].

PRAXÁGORA. ¿Por las dos diosas? Desgraciada, ¿dónde tienes la cabeza?

MUJER B. ¿Qué pasa? No te he pedido de beber.

PRAXÁGORA. Por Zeus, es que eres un hombre y has jurado por las dos diosas. Y eso que lo demás lo dijiste muy diestramente.

MUJER B. Oh, por Apolo.

PRAXÁGORA. Calla, que yo no voy a mover un pie para ir a la Asamblea si esto no queda perfectamente bien. (*Le coge la corona.*)

MUJER B. Trae la corona, voy a hablar otra vez. (*Se la da.*) Creo que ahora ya estoy práctica. (*Al* CORO.) A mí, mujeres aquí presentes...

PRAXÁGORA. ¿Otra vez llamas mujeres a los hombres, desgraciada?

MUJER B. Es por Epígono[20], que está allí lejos. (*Señalando.*) Al

---

19 Deméter y Perséfona. Es un juramento propio de mujeres.

20 Personaje desconocido, que se da como presente en el teatro. Era, evidentemente, un afeminado.

mirar hacia allí, creí que estaba hablando a mujeres.

Praxágora. Vete al infierno tú también y siéntate lejos de aquí. Por causa de vosotras, me parece que soy yo la que va a hablar cogiendo esta corona. *(Se la pone.)* Pido a los dioses tener éxito y conseguir lo que hemos planeado. *(Se adelanta. Solemne.)* Tengo tanta parte en esta tierra como vosotros, pero sufro y llevo con pesar la podredumbre de las cosas de la ciudad. Porque veo que sus políticos son siempre detestables; y si uno por un día se hace bueno, otros diez días se hace malo. Das el poder a otro: hace aún cosas peores. La verdad, es difícil dar consejos a hombres descontentadizos que tenéis miedo a los que quieren ser vuestros amigos y en cambio a los que se niegan a ello, les suplicáis una y otra vez. Así, hubo un tiempo en que no había Asambleas en absoluto, pero a Agirrio le teníamos por un mal hombre; y ahora que las tenemos, el que recibe su soborno, le pone por las nubes y el que no lo recibe ¡asegura que merecen la muerte los que, como Agirrio, buscan ganar un sueldo por asistir a la Asamblea![21].

Mujer A. Por Afrodita, es estupendo lo que dices.

Praxágora. Desgraciada, ¿has jurado por Afrodita? Bonito papel habrías hecho, si hubieras dicho esto en la Asamblea.

Mujer A. No lo habría dicho.

Praxágora. Pues no te acostumbres a decirlo. *(Vuelve a coger el hilo.)* Más todavía. Esa alianza, cuando la debatíamos, decían que si no llegaba a hacerse, sería un desastre para la ciudad. Pues cuando se hizo, quedaron descontentos y el orador que nos convenció para que la hiciéramos, tuvo que huir a escape[22].—O hay que sacar las naves al mar: el pobre está de acuerdo, pero los ricos y los terratenientes, no.—Os fastidian los corintios y ellos a vosotros: pues ahora son buenos, hazte bueno tú también.—O resulta

---

[21] Agirrio, arriba mencionado, hizo aprobar que se pagara por la asistencia a la Asamblea: primero un óbolo, luego tres.

[22] Alusión al tratado concertado el año 395 a. C. entre Atenas y los beocios y locrios opuntios, tratado dirigido contra Esparta y luego criticado. No sabemos de quién fue la iniciativa.

que el argivo es un majadero y Jerónimo, opuesto a ellos, es el sabio[23].—O asomó la salvación tras la guerra civil, pero Trasibulo, que la trajo, está fastidiado porque no piden su consejo[24].

MUJER A. ¡Qué hombre más listo!

PRAXÁGORA. Con razón me elogiaste.—Y vosotros, oh pueblo, sois los culpables de todas estas cosas. Porque como cobráis vuestros salarios de los fondos públicos, cada uno mira lo que ganará él, mientras que el Estado [igual que Esimo][25], va dando tumbos. Pero si me hacéis caso, todavía os salvaréis.—Propongo que entreguéis la ciudad a las mujeres. En realidad, ya en nuestras casas las tenemos de gobernantas y tesoreras.

MUJER A. ¡Bravo! ¡Bravo!, por Zeus ¡Bravo!

MUJER B. Habla, habla, amigo.

PRAXÁGORA. Que sus maneras son mejores que las nuestras, os lo voy a hacer ver. Lo primero, tiñen sus lanas en agua caliente de acuerdo con la costumbre antigua; y eso todas y no puedes encontrar que hagan innovaciones. En cambio Atenas, si algo le sale bien, no por ello cree salvarse, si no se mete en alguna otra novelería. Sentadas hacen sus parrilladas como antes, llevan cargas en su cabeza como antes, celebran las Tesmoforias[26] como antes, cuecen los pasteles como antes, revientan a los hombres como antes, tienen amantes en casa como antes, se sirven los mejores bocados como antes, les gusta el vino puro como antes, disfrutan cuando las joden como antes. Varones, entreguémosles la ciudad y no andemos hablando ni les preguntemos qué es lo que van a hacer. Dejémoslas gobernar de una vez. Mirando estas cosas solas: lo primero, que como son madres querrán salvar la vida a los soldados; y luego, ¿quién po-

---

23 Se alude a una gestión de paz de Esparta, rechazada por los aliados argivos y favorecida por el general ateniense Jerónimo.

24 Trasibulo, jefe del partido moderado, fue el principal responsable de la capitulación ante Esparta el año 404 (fin de la guerra del Peloponeso).

25 Personaje importante en la política ateniense a partir de la reconciliación del 403. Parece deducirse que era cojo, lo que se atribuye también, figuradamente, a la situación del estado ateniense.

26 Fiesta de las mujeres en honor de Deméter y Perséfona.

dría enviarles raciones suplementarias más deprisa que una madre? Para procurar dinero, una mujer es lo más hábil y cuando manda, nadie es capaz de engañarla porque están muy hechas a engañar. Lo demás me lo callo. Si me hacéis caso en esto, pasaréis vuestra vida en la mayor felicidad.

Mujer A. Bien, Praxágora, guapísima, estupendamente. ¿Y cómo aprendiste esto también, amiga mía?

Praxágora. Cuando el destierro[27], viví con mi marido en la Pnix, donde la Asamblea. Y a fuerza de escuchar a los oradores, aprendí.

Mujer A. Entonces, con razón eres hábil y sabia. Y desde ahora mismo te nombramos generala las mujeres, si llevas a buen fin eso que proyectas. Pero si el demagogo Céfalo[28] viene aquí en mala hora y te insulta, ¿cómo vas a contestarle en la Asamblea?

Praxágora. Diré que está loco.

Mujer A. Eso lo saben todos.

Praxágora. Añadiré que es un bilioso.

Mujer A. También eso lo saben.

Praxágora. Y que es mal alfarero para dar forma a los platos, pero bueno y brillante para la ciudad.

Mujer A. ¿Y qué, si te insulta el legañoso de Neoclides?[29].

Praxágora. A ése yo le diría que ponga sus ojos en el culo de un perro.

Mujer A. ¿Y qué, si te dan un meneo?

Praxágora. Me moveré a compás, pues no soy inexperta en ninguna clase de meneos.

Mujer A. Sólo falta por ver, si te echan mano los arqueros qué vas a hacer.

Praxágora. Me pondré en jarras de esta manera: jamás me cogerán por la cintura.

Mujer A. Si te cogen en vilo, les diremos que te dejen.

---

27 Durante la época de los treinta tiranos (403 a. C.) muchos atenienses se exiliaron. Cómicamente, Praxágora dice que ella lo hizo en la Pnix.

28 Demagogo belicista de comienzos del siglo IV, de lenguaje virulento.

29 Un orador y sicofanta.

Mujer B. Todo esto lo tenemos bien pensado. Pero no hemos meditado todavía de qué modo vamos a acordarnos de que hay que levantar la mano[30], porque nuestra costumbre es la de levantar las piernas.

Praxágora. Es un asunto peliagudo. Pero, con todo, hay que votar sacando un brazo de la hombrera.—Vamos, subíos las camisitas y ataos rápido las sandalias laconias, igual que veíais hacer al marido cuando iba a ir a la Asamblea o a salir, cada vez. Luego, cuando todo esto esté ya bien, ataos las barbas. Y en cuanto os las hayáis sujetado bien, echaos encima los vestidos de hombres que sustrajisteis y después apoyaos en los bastones y marchad cantando una canción de esas de viejos, cogiendo las maneras de los hombres del campo.

Mujer A. Dices bien, nosotras nos adelantamos. Porque me parece que otras mujeres van a ir derechas desde el campo a la Asamblea.

Praxágora. Venga, corred, porque es corriente que los que no llegan con la aurora se vayan sin recibir ni un clavo de sueldo. (*Desfilan.*)

Corifeo.
Es hora ya, varones. / Sí, la palabra esta
tenedla en la memoria, / que no se os olvide.
No es pequeño el peligro / si van y nos atrapan
vestidas en lo oscuro / de... una audacia tan grande.

Estrofa.

Coro.

A la Asamblea, varones, / que nos ha amenazado
el aronte[31]: al que no
llegue en lo oscuro aún,
lleno de polvo, y con

---

[30] Para votar.

[31] Propiamente «el tesmóteta». Había nueve arcontes tesmótetas, uno por cada tribu; se encargaban del pago a los que asistían a la Asamblea.

gusto a gazpacho,
mirada de picante,
no le da los tres óbolos[32].
Venga, tú, Caritímides,
tú, Esmícito y tú, Draces[33],
    ea, corred.
Cuidado, no vayáis
a dar la nota falsa
    en la actuación.
Y cuando os den el vale[34]
cogedlo y todos juntos
nos sentaremos, para
    votar así
todo lo que haga falta
que las amigas nuestras...
pero ¿qué digo? Amigos
debo llamarlos.

Antístrofa.

Ea, echemos fuera / a esos otros que vienen
de la ciudad, que antes
cuando al venir te daban
un óbolo[35], seguían
    charla que charla
en los puestos de flores...
y ahora nos dan la lata.
No así cuando Mirónides[36]
mandaba, ese hombre grande, / nadie habría osado:
gobernar la ciudad
para ganar la pasta;

---

32 Pagado por la asistencia a la Asamblea, véase nota 21.
33 Nombres puramente convencionales, no personajes conocidos.
34 Cuando se entraba en la Asamblea se recogía un vale, que era pagado a la salida.
35 Véase nota 21.
36 General ateniense conocido por sus campañas contra los beocios en los años 50 del siglo v. Era reputado por su valor.

todos venían
trayéndose en un odre
para beber, y un pan
y dos tristes cebollas
y tres olivas.
Ahora a por los tres óbolos
vienen: nuestra república
rigen como llevando
    barro a una obra.

(Va amaneciendo poco a poco. Se marcha el CORO.)

BLÉPIRO. *(Sale de casa vestido de mujer.)* ¿Qué pasa? ¿Dónde se ha ido mi mujer? Está al rayar el día y no aparece por ningún sitio. Y yo entre tanto llevo mucho rato en la cama con ganas de cagar tratando de encontrar las zapatillas en lo oscuro y el vestido. A tientas, no era capaz de encontrarlo y mientras tanto el Cacas seguía dando golpes a la puerta: entonces yo cojo el chal de mi mujer y salgo arrastrando sus zapatillas persas. Pero ¿dónde, dónde podría uno acertar a cagar en un espacio libre? ¿O en la noche cualquier espacio es libre? ¿Nadie me va a ver cagando? Desdichado de mí, que me casé ya viejo, cuántos palos merezco. No ha salido para hacer nada bueno. Pero de todos modos, tengo que cagar. *(Se pone en cuclillas.)*

UN HOMBRE. *(Desde una ventana.)* ¿Quién es? ¿No es mi vecino Blépiro?

BLÉPIRO. El mismo, por Zeus.

HOMBRE. Dime, ¿qué es esa cosa roja que llevas? ¿No será que el marica de Cinesias[37] se te ha ensuciado encima?

BLÉPIRO. No, es que he salido con la camisita de color azafrán que se pone mi mujer.

HOMBRE. Y tu manto, ¿dónde está?

BLÉPIRO. No sé decirte, porque aunque lo busqué, no lo encontré entre las mantas.

---

[37] Poeta ditirámbico del que se burlan los cómicos por su afeminamiento y cobardía.

HOMBRE. ¿Y no ordenaste a tu mujer que te dijera dónde estaba?

BLÉPIRO. Es que, por Zeus, no está en casa, sino que se ha escapado sin que yo me diera cuenta. Tengo miedo de que me haga alguna trastada.

HOMBRE. Por Posidón, te ha pasado exactamente igual que a mí, mi mujer se ha marchado con el manto que yo usaba. Y no es esto lo que me duele, sino que se ha llevado las sandalias. No pude dar con ellas por ninguna parte.

BLÉPIRO. Por Dioniso, ni yo con las mías, unas sandalias laconias, pero como tenía ganas de hacer caca he salido con los pies metidos en coturnos, para no cagarme en la colcha, que estaba limpia.

HOMBRE. ¿Qué pasará? ¿La habrá invitado una de sus amigas?

BLÉPIRO. Es lo que yo pienso. No es una mujer mala, por lo que yo sé.

HOMBRE. Pero tú estás cagando una soga entera y ya es tiempo de que me vaya a la Asamblea, si es que encuentro mi manto, el único que tenía.

BLÉPIRO. Yo iré también, en cuanto acabe de cagar, porque ahora una pera silvestre me ha bloqueado la comida.

HOMBRE. ¿Ese bloqueo de que Trasibulo habló a los laconios?[38].

BLÉPIRO. Sí, por Dioniso. Por lo menos, se me agarra terriblemente. Pero, ¿qué hacer? Porque no es esto sólo lo que me aflije, sino pensar a dónde va a ir a parar la caca, de ahora en adelante, cuando coma. Ahora ése ha echado el cerrojo a la puerta, quienquiera que sea ese individuo Peralense[39].—¿Quién va a buscarme un médico, y cuál? ¿Quién de los culistas es docto en esa ciencia? ¿El orador Aminón[40] la conoce? Pero a lo mejor se niega.—Que uno llame a Antístenes[41] a cualquier precio. Pues él, a juzgar

---

[38] Parece deducirse que Trasibulo (ya mencionado antes, cfr. nota 24) se opuso a las condiciones de paz que presentaban los laconios y les amenazó con el bloqueo.

[39] Juego de palabras con el nombre de un demo o localidad del Ática.

[40] Orador prostituido.

[41] Rico ateniense que, parece, sufrió muy mal la derrota del coro que pa-

por sus gemidos cuando su coro no obtuvo premio, sabe lo que desea un culo con ganas de cagar. Señora Ilitia, diosa de los alumbramientos, no me dejes así, reventado y clausurado, no vaya a convertirme en un orinal de comedia.

CREMES. (*Entra, viniendo de la Asamblea. Es de día.*) Tú, ¿qué estás haciendo? ¿No estás cagando?

BLÉPIRO. ¿Yo? Ya no, por Zeus, ya me levanto. (*Se levanta.*)

CREMES. ¿Y llevas la camisita de tu mujer?

BLÉPIRO. Es que en la oscuridad es a la que le eché mano. Pero ¿de dónde vienes?

CREMES. De la Asamblea.

BLÉPIRO. ¿Pero ya ha terminado?

CREMES. Por Zeus, ha sido al alba. La verdad es que el bermellón que han echado alrededor en círculo[42], Zeus queridísimo, ha dado mucho que reír. Muchos no pudieron ya entrar ni cobrar.

BLÉPIRO. ¿Te dieron los tres óbolos?

CREMES. Ojalá. Llegué tarde, me avergüenzo de ello: no ante ningún otro, sólo ante mi bolsa de comida.

BLÉPIRO. Pero, ¿qué es lo que tuvo la culpa?

CREMES. La mayor turba de individuos que nunca vino junta a la Asamblea. La verdad es que todos nos parecían zapateros según los veíamos: en forma increíble era la Asamblea pura blancura[43]. Por ello, ni cobré yo ni otros muchos.

BLÉPIRO. ¿Y tampoco cobraré yo, si voy ahora?

CREMES. ¿De dónde? Ni aunque hubieras ido cuando cantó el gallo por segunda vez.

BLÉPIRO. Desgraciado de mí.—«Héroe Antíloco, llora por mí, que estoy aún vivo más que por los tres óbolos; mi vida está arruinada»[44]. Pero ¿qué pasaba que tanto barullo de gente se reunió tan en punto?

---

trocinaba como corego. Pero hay también, quizá, un juego de palabras con su nombre.

[42] Alrededor de la Asamblea se trazaba un círculo color bermellón. En principio era para consagrar el lugar, pero desde que empezó a pagarse la asistencia cumplía la segunda función de dejar fuera a los que llegaban tarde y pretendían cobrar.

[43] Alusión a la palidez de las mujeres, recluidas en sus casas.

[44] Cita trucada de los *Mirmidones* de Esquilo. Aquiles dice a Antíloco que llore por él más que por el muerto (Patroclo).

CREMES. ¿Qué otra cosa sino que los prítanis, acordaron que se hablara sobre la salvación de Atenas? Entonces enseguida, el primero, se adelantó Neoclides[45] el leganoso y luego el pueblo se pone a gritar todo lo que quieras: «¿No es intolerable que se atreva a hablar, y eso siendo el asunto a tratar la salvación, uno que no ha salvado para sí mismo ni una sola pestaña?» Y él levantó la voz y, echando una mirada alrededor, dijo: «¿Qué he de hacer, pues?»

BLÉPIRO. «Machaca ajos con jugo de higuera, echa euforbio de Laconia y lávate con esto los ojos a la noche.» Esto es lo que yo habría dicho, de estar allí.

CREMES. Después, el inteligente Eveón[46] se presentó desnudo o eso nos parecía a casi todos —pero él decía que llevaba un manto— y pronunció palabras muy democráticas: «Estáis viendo que yo mismo necesito una salvación de dieciséis dracmas, pero voy a deciros, de todos modos, cómo podréis salvar a Atenas y a sus ciudadanos. Si los fabricante dan mantos a los necesitados cuando llegue el invierno, ninguno de nosotros tendrá en adelante pleuresía. Y aquellos que no tienen cama ni mantas, que vayan a dormir, bien bañados, a casa de los fabricantes de pellizas. Y si en invierno les cierra uno la puerta, pague tres pellizas de multa.»

BLÉPIRO. Cosa excelente, por Dioniso; y nadie habría votado en contra si hubiera añadido que los vendedores de harina dieran tres quénices para la comida a todos los menesterosos, so pena de llorar largamente: para que todos disfrutaran de esos tesoros de Nausícides[47] el almacenista.

CREMES. Bueno, después de esto un guapo joven de tez blanca, muy parecido a Nicias, se adelantó de un salto y empezó a decir que había que entregar la ciudad a las mujeres. Entonces la tropa zapateril empezó a alborotar y a gritar que tenía razón, pero los campesinos le abuchearon.

BLÉPIRO. Por Zeus que eran sensatos.

---

45 Cfr. nota 29.
46 Personaje desconocido. Quizá nombre inventado en broma, significa «el que vive bien».
47 Un rico almacenista de granos.

CREMES. Pero eran menos, y él seguía gritando, haciendo gran elogio de las mujeres y hablando mal de ti.

BLÉPIRO. ¿Y qué dijo?

CREMES. Lo primero, decía que eres un sinvergüenza.

BLÉPIRO. ¿Y tú?

CREMES. No preguntes aún. Y además, un ladrón.

BLÉPIRO. ¿Yo solo?

CREMES. Y también sicofanta, por Zeus.

BLÉPIRO. ¿Yo solo?

CREMES. Y casi todos éstos (apuntando al público), por Zeus.

BLÉPIRO. ¿Y quién no está de acuerdo?

CREMES. Decía también que la mujer es una cosa llena de buen sentido, buscando siempre la ganancia. Y que nunca sacan fuera, aseguraba, los secretos de la fiesta de las dos diosas Tesmóforos[48], mientras que tú y yo, cuando somos consejeros, lo hacemos siempre.

BLÉPIRO. En esto, por Hermes, no mintió.

CREMES. Decía además que se prestan unas a otras mantos, joyas de oro, plata, vasijas, y eso a solas, no delante de testigos, y que lo devuelven todo y no se lo quedan. En cambio, aseguraba que la mayoría de nosotros es eso lo que hacemos.

BLÉPIRO. Y hasta delante de testigos, por Posidón.

CREMES. Que no son sicofantas, no ponen pleitos ni amenazan a la democracia. En otras muchas cosas excelentes alababa enormemente a las mujeres.

BLÉPIRO. ¿Y qué se decidió?

CREMES. Poner en sus manos la ciudad, pues se estaba de acuerdo en que era la única cosa que todavía no había sucedido.

BLÉPIRO. ¿Y está aprobado?

CREMES. Ya te lo estoy diciendo.

BLÉPIRO. ¿Se les ha dado todo lo que antes incumbía a los ciudadanos?

CREMES. Así es.

BLÉPIRO. Entonces, ¿ya no iré al tribunal, va a ir mi mujer?

---

[48] Es decir, la fiesta de las Tesmoforias, cfr. notas 19 y 26.

CREMES. Ni tampoco vas a dar de comer a tus hijos, lo va a
hacer tu mujer.

BLÉPIRO. ¿Y no va a ser cosa mía ya quejarme a la mañana?

CREMES. No, por Zeus, esto ya les toca a las mujeres. Tú te
quedarás en casa, sin lamentarte, tirando pedos.

BLÉPIRO. Pero va a ser terrible para los viejos como nosotros
dos, si cogiendo las riendas de la ciudad nos obligan a la
fuerza...

CREMES. ¿A hacer qué cosa?

BLÉPIRO. ... a joderlas.

CREMES. ¿Y si no tenemos fuerzas?

BLÉPIRO. No nos darán el desayuno.

CREMES. Pues házselo, por Zeus, para que desayunes y las jo-
das a la vez.

BLÉPIRO. Terrible es todo lo forzado.

CREMES. Pues si es útil para la ciudad, todos deben hacerlo.
Hay un dicho de los viejos, que todas las insensateces y locuras que votamos, todas nos salen bien. Ojalá ésta nos salga, Señora Palas[49] y otros dioses.—Me voy, pásalo bien.

BLÉPIRO. Igual tú, Cremes.

(Salen. Entra el coro de mujeres disfrazadas.)

CORIFEO.

Marcha, avanza.
¿Nos sigue algún varón? / Date la vuelta, mira,
guárdate con cuidado / que hay mucho sinvergüenza,
no sea que desde atrás / vigilen tu figura.

Estrofa.

CORO.

Con tus pies marca el paso / lo más fuerte que puedas.
Nos causaría vergüenza
ante nuestros maridos / si esto se averigua.
Así, arrópate bien

---

[49] Palas Atenea, protectora de Atenas.

y vigilando en torno
mira en círculo, allí
y a la mano derecha, / no suceda un percance.
Ea, démonos prisa, / que estamos cerca ya
del sitio del que fuimos, / a la Asamblea antes.
Se puede ver la casa / de nuestra generala,
la que inventó este plan / que ahora ha aprobado el
    pueblo.

Antístrofa.

Así, no nos tardemos / parándonos aquí
con nuestras falsas barbas.
Pueden vernos de día / y quizá denunciarnos.
Venid aquí a la sombra
junto a este murito
y mirando a hurtadillas
cambia tu traje y sé / la que antes eras.
No tardes, que ya veo / a nuestra generala
venir de la Asamblea. / Daos prisa, prisa todas,
quitaos ya esas cerdas / pegadas en la cara[50].
Pues ya están aquí todas / con esa misma facha.

PRAXÁGORA. *(Entrando.)* Mujeres, esos asuntos que tramamos
nos han salido bien. Pero ahora, rápido, antes que alguien
lo vea tirad fuera los mantos de hombres, las sandalias vayan lejos de los pies, desata esas trenzadas riendas de Laconia, soltad los bastones.—Tú arregla a éstas; yo quiero des-
lizarme dentro de casa antes de que me vea mi marido y
dejar allí el manto suyo otra vez, en el sitio de donde lo
cogí, y todo lo demás que me he traído.

CORIFEO.

Ya está en el suelo lo que has dicho. Es cosa tuya explicar-
    nos ahora

---

[50] Es decir, quitaos las barbas postizas.

qué cosa útil realizando pareceremos ser disciplinadas justamente.

Pues sé que no he tratado con ninguna mujer más astuta que tú.

PRAXÁGORA.

Esperad, que quiero que en el cargo para el que me votasteis
seáis mis consejeras todas. Porque allí,
en medio del barullo y los peligros, habéis sido muy machos.

BLÉPIRO. *(Saliendo de casa.)* ¿Tú, de dónde vienes, Praxágora?

PRAXÁGORA. ¿Y a ti qué te importa?

BLÉPIRO. ¿Que qué me importa? ¡Qué cosa más imbécil!

PRAXÁGORA. No me dirás que vengo de casa de mi amante.

BLÉPIRO. A lo mejor no de uno sólo.

PRAXÁGORA. De eso se puede hacer la prueba.

BLÉPIRO. ¿Cómo?

PRAXÁGORA. Si huele a perfume mi cabeza.

BLÉPIRO. ¿Qué? ¿A una mujer no se la jode aunque sea sin perfume?

PRAXÁGORA. A mí por lo menos no, infeliz.

BLÉPIRO. ¿Cómo es que te marchaste al amanecer llevándote mi manto?

PRAXÁGORA. Es que una amiga me envió a llamar de noche, porque estaba de parto.

BLÉPIRO. ¿Y no podías decírmelo antes de salir?

PRAXÁGORA. ¿Y a desentenderme de la parturienta, que estaba en ese estado, marido mío?

BLÉPIRO. No, con tal de decírmelo. Aquí hay algo que es raro.

PRAXÁGORA. Por las dos diosas, salí tal como estaba. La que vino a buscarme me pidió que saliera como fuera.

BLÉPIRO. ¿Y no debías llevarte tu camisa? Y en vez de esto me dejaste desnudo y echándome encima tu vestido te marchaste dejándome como si fuera un cadáver expuesto. Sólo dejaste de ponerme una corona y arrojarme un vaso funerario.

PRAXÁGORA. Hacía frío y yo soy delicada y débil. Me puse este manto tuyo para abrigarme. Te dejé allí acostado, caliente, entre las mantas, marido mío.

BLÉPIRO. Y mis sandalias laconias y mi bastón, ¿por qué se fueron contigo?

PRAXÁGORA. Para que nadie me quitara el manto, me cambié de calzado, imitándote y metiendo ruido al andar y golpeando las piedras con el bastón.

BLÉPIRO. ¿Y sabes que has perdido una arroba de trigo que yo tenía que cobrar por asistir a la Asamblea?

PRAXÁGORA. No te preocupes, ha tenido un niño.

BLÉPIRO. ¿La Asamblea?

PRAXÁGORA. No, la mujer que yo vi. Pero ¿es que hubo Asamblea?

BLÉPIRO. Sí, por Zeus. ¿No te acordabas de que ayer te lo dije?

PRAXÁGORA. Ahora recuerdo.

BLÉPIRO. ¿Y no sabes lo que se acordó?

PRAXÁGORA. No, de verdad, por Zeus.

BLÉPIRO. Siéntate pues y masca jibias[51]. Dicen que os han entregado la ciudad.

PRAXÁGORA. ¿Para hacer qué? ¿Tejer?

BLÉPIRO. No, para gobernar.

PRAXÁGORA. ¿Sobre qué?

BLÉPIRO. Sobre todos los asuntos de la ciudad.

PRAXÁGORA. Por Afrodita, va a ser afortunada Atenas de ahora en adelante.

BLÉPIRO. ¿Por qué?

PRAXÁGORA. Por muchas cosas. Los que se atreven a hacerle cosas afrentosas, ya no podrán en adelante, ni ser testigos, ni sicofantas...

BLÉPIRO. Por los dioses, no hagas eso: no me quites mis recursos de vida.

CREMES. Maldito, deja hablar a tu mujer.

PRAXÁGORA. ... ni robar ropa, ni envidiar a los vecinos, ni es-

---

[51] Frase proverbial de sentido oscuro: «¿deléitate?», «¿ten paciencia?».

tar desnudo, ni ser pobre ninguno, ni insultar, ni llevarse
nada en prenda

CREMES. Grandes cosas, por Posidón, si es que no miente.

PRAXÁGORA. Voy a explicarlo, de forma que tú me seas testigo
y éste mismo no tenga nada que replicar.

CORO.

Tu mente astuta ahora es preciso / y un pensamiento filo-
sófico
despertar, que conozca
cómo ayudar a tus amigas.
Pues para el bien común
nos llega de tu ingenio / el hallazgo que al pueblo
ciudadano embellece
con mil venturas en su vida. / Es tiempo de explicarlo ya.
Un sabio invento necesita / esta ciudad nuestra de Atenas.
Explícanos tan sólo
cosas ni hechas ni dichas todavía:
se aburren si contemplan cosas viejas.

CORIFEO.
No hay que tardarse ya, hay que poner en marcha el plan,
el darse prisa logra el mayor favor del público.

PRAXÁGORA.
Voy a enseñaros cosas útiles, estoy segura; pero si el público
tendrá deseo de novedades y de dejar las cosas de costumbre,
las costumbres antiguas, esto es lo que más dudo.

CREMES.
No tengas miedo a las revoluciones, porque en esto
antes que en cosa alguna consiste nuestro régimen y en ol-
vidar lo antiguo.

PRAXÁGORA.
Entonces, que ninguno de vosotros objete ni inte-
rrumpa
antes de conocer el plan y de oír al proponente.
Todos deben tener todo en común, participando en todo,

[241]

y vivir de lo mismo y no que uno sea rico y otro pobre
y uno tenga muchas tierras y otro ni para que lo entierren,
ni que uno tenga muchísimos esclavos y otro ni un servidor.
No: establezco una vida común para todos, una vida igual.

BLÉPIRO.

¿Cómo va a ser común?

PRAXÁGORA.

Antes que yo vas a comer pastel de
mierda.

BLÉPIRO.

¿Esto también será común?

PRAXÁGORA.

No, por Zeus, es que me inte-
rrumpiste.
Eso es lo que yo iba a decir: la tierra, lo primero, voy a
hacer
común de todos y el dinero y todo lo que tiene cada uno.
Y con todo esto, que será común, os mantendremos
administrándolo y ahorrando y aplicándonos a ello.

BLÉPIRO.

¿Y cómo hará el que no posee tierra, pero sí plata
y monedas de Darío, riqueza que no se ve?

PRAXÁGORA.

Lo entregará al
común.

BLÉPIRO.

Pero ¿y si no lo entrega?

PRAXÁGORA.

Cometerá perjurio.

BLÉPIRO.

Así se enriqueció.

PRAXÁGORA.

Ese dinero, de nada le valdrá.

BLÉPIRO.

¿Por qué?

PRAXÁGORA.

Nadie hará nada por su pobreza, todos tendrán de todo:

panes, salazón de pescado, galletas, mantos, vino, coronas,
garbanzos.
¿Qué provecho va a haber en no entregarlo? Averígualo y
dímelo.

BLÉPIRO.

Pero ¿no son ahora los que tienen el dinero los que más
roban?

CREMES.

Amigo mío, eso era antes, cuando teníamos las leyes de
otros tiempos,
pero ahora que la vida va a ser común, ¿qué ventaja hay en
no entregarlo?
Si uno ve una muchacha y siente ganas de clavarle el pico,
podrá hacerle un regalo de lo suyo y tendrá parte del
común
cuando duerme con ella.

PRAXÁGORA.

Va a poder dormir gratis.
Hago a éstas comunes para todos los hombres para acostarse con ellas
y hacerles hijos el que quiera.

BLÉPIRO.

¿Y cómo no van a irse todos
detrás de la más guapa y a tratar de apuntalarla?

PRAXÁGORA.

Las feas y las chatas se sentarán al lado de las bellas:
y si uno desea a ésta, a la fea primero tendrá que sacudir.

BLÉPIRO.

¿Y a nosotros los viejos, después de tener trato con las feas
la polla no nos fallará antes de que lleguemos donde dices?

PRAXÁGORA.

No van a resistirse. Ten confianza, no te preocupes, no van
a resistirse.

BLÉPIRO.

¿A qué?

PRAXÁGORA.

A dormir juntos. Ahí está tu ventaja.

BLÉPIRO.

Lo vuestro tiene su sentido, puesto que hay un proyecto de decreto

para que no quede vacío el agujero de ninguna. Pero lo de los hombres, ¿cómo se hará?

Van a huir de los feos y a ir en busca de los guapos.

PRAXÁGORA.

Vigilarán los menos agraciados a los guapos cuando se marchen

del banquete, acecharán sus pasos en los lugares públicos.

Y no será legal el acostarse las mujeres con los hermosos y los grandes

antes de que a los feos y pequeños concedan sus favores.

BLÉPIRO.

La nariz de Lisícrates[52], entonces, va a estar tan orgullosa como los hombres guapos.

PRAXÁGORA.

Sí, por Apolo. Y es un plan democrático, y escarnio grande va a haber de los solemnes, cargados de sortijas,

cuando uno en alpargatas diga: «Ponte al lado el primero y luego mira

a que yo me despache y te la deje para hacer el relevo.»

BLÉPIRO.

Y si vivimos de este modo, ¿cómo a sus hijos cada uno va a ser capaz de conocer?

PRAXÁGORA.

¿Qué falta hace? Pensarán que son padres

suyos todos los viejos, si coincide la edad.

BLÉPIRO.

Entonces van a estrangular bien y con eficacia a todo viejo

por causa de esa ignorancia. Ahora, aun sabiendo que es padre,

le estrangulan. ¿Qué va a ser cuando ya no lo sepan, no van a cagarse encima?

---

52 Personaje desconocido.

PRAXÁGORA.

No lo permitirá nadie que esté presente. En aquel tiempo nada se les daba
de los padres ajenos, si les pegaban, pero ahora si escuchan que están pegando a alguien,
a cualquiera, por temor de que el pegado sea su padre, lucharán contra los que lo hagan.

BLÉPIRO.

No es nada torpe lo que dices. Pero si viene a mí Epicuro
o Leucólofo[53] y me llaman padre, eso es ya horrible de escuchar.

CREMES.

Hay una cosa, sin embargo, mucho peor que ésta...

BLÉPIRO.

¿Cuál?

CREMES.

Si te besa Aristilo[54] diciendo que eres tú su padre.

BLÉPIRO.

Va a llorar y a gemir.

CREMES.

Y tú a oler a calamento[55].

PRAXÁGORA.

Bueno, ese nació antes de que el decreto fuera promulgado.
No hay miedo que te bese.

BLÉPIRO.

Horrible trago habría pasado.
Pero la tierra, ¿quién la cultivará?

PRAXÁGORA.

Los esclavos. Tu ocupación será
cuando a la tarde la sombra del reloj de sol sea de diez pies[56], ir reluciente a algún banquete.

---

53 Dos afeminados desconocidos.

54 Aristófanes le ataca en otro lugar como felador.

55 Una clase de menta. Pero hay un juego de palabras con el término griego de «excremento».

56 Es decir, al atardecer.

BLÉPIRO.

Y los vestidos ¿quién va a procurárnoslos? Esto hay que
preguntarlo.

PRAXÁGORA.

Lo primero, tendréis ésos de ahora, y luego, nosotras teje-
remos.

BLÉPIRO.

Todavía una pregunta: ¿qué ocurrirá si uno pierde un pleito?

¿Cómo pagar? Del dinero común, sin duda que no es justo.

PRAXÁGORA.

No habrá juicios, lo primero.

BLÉPIRO. (*A* CREMES.)

Va a hacerte pupa esa palabra.

CREMES.

Eso mismo he pensado.

PRAXÁGORA.

¿Y por qué va a haber pleitos, desgraciado?

BLÉPIRO.

Por muchas cosas, por Apolo. Lo primero, por una,
si uno debe dinero y lo niega.

PRAXÁGORA.

¿Pero de dónde sacó dinero el
prestamista
si todo es del común? No hay duda que robando.

CREMES.

Por Deméter, lo explicas bien.

BLÉPIRO.

Pues que me diga esto:
¿de dónde pagarán los condenados por actos de violencia,
cuando
después de algún jolgorio se insolentan? No vas a saber qué
contestar.

PRAXÁGORA.

De la galleta de cebada de que viven: cuando a uno se la
quiten
no va a insolentarse fácilmente, si le castigan en su estómago.

[246]

BLÉPIRO.
¿Y no habrá ladrones?
PRAXÁGORA.
                                    ¿Cómo van a robar, si tienen parte?
BLÉPIRO.
¿Ni le desvestirán a uno de noche?
CREMES.
                                        No, si duerme en su
casa.
PRAXÁGORA.
Ni tampoco si fuera, como antes; todos tendrán medios de
    vida.
Y si le quitan el vestido, él mismo lo dará. Pues ¿para qué
    luchar?
Se va al fondo común y se coge uno mejor que el viejo.
BLÉPIRO.
Entonces, ¿tampoco van a jugar a los dados?
PRAXÁGORA.
                                        ¿Y qué van a
apostar para hacerlo?
BLÉPIRO.
¿Y qué género de vida vas a poner?
PRAXÁGORA.
                                Uno común. De la ciudad
voy a hacer una casa única, tirando los tabiques para hacer-
    lo todo uno,
para que puedan visitarse.
BLÉPIRO.
                            Y la comida ¿dónde la servirás?
PRAXÁGORA.
Los tribunales y los pórticos los haré comedores.
BLÉPIRO.
La tribuna[57], ¿en qué va a serte útil?
PRAXÁGORA.
                                Pondré allí las crateras
y los cántaros y los niños podrán cantar canciones

---

57 La tribuna de los oradores, en la Pnix.

a los valientes en la guerra y sobre algún cobarde, si lo hay,
para que no cene, de vergüenza.

BLÉPIRO.

Muy bien pensado, por
Apolo.
Y las urnas, ¿para qué vas a usarlas?

PRAXÁGORA.

Voy a ponerlas en el
ágora.
Citaré a todos en la estatua de Harmodio[58] y haré un sorteo, para que,
según les toque, vayan felices sabiendo en qué letra ce-
narán.
Proclamará el heraldo que los de la beta vayan al Pórtico
Real a cenar; la zeta, al Pórtico vecino,
los de la kappa al Pórtico en que venden la cebada.

BLÉPIRO.

¿A manducarla?

PRAXÁGORA.

Por Zeus, no, para cenar.

BLÉPIRO.

Y al que la letra
de cenar no le salga, ¿a ése le echarán fuera todos?

PRAXÁGORA.

No será así, entre nosotras.
Habrá abundancia para todos,
con su corona así, borrachos,
marcharán todos con su antorcha.
Y en las esquinas, las mujeres
vendrán a ellos, según pasan,
y les dirán: «Vente conmigo,
tengo una chica que es muy guapa.»
     «A mi casa», la otra
dirá desde su piso, arriba:

---

58 Junto a la estatua de Harmodio, en el ágora, se ponían las listas de los
que habían de actuar como jurados, clasificados por letras. Ahora se ponen
las listas de los invitados a la cena.

«es la más bella, la más blanca,
pero antes que con ella debes
  dormir conmigo tú».
Y a los hermosos persiguiendo
y a los más jóvenes, los feos
dirán así: «¿A dónde corres?
Si llegas, no sacarás nada,
pues con los feos y los chatos
se ha decretado que antes jodan
y que vosotros entre tanto
  con una hoja de higuera
en los portales os frotéis.»
Vamos, decidme, ¿os gusta esto?

BLÉPIRO y CREMES. Muchísimo.

PRAXÁGORA. Bueno, ahora tengo que marcharme al ágora
para recoger las cosas que entreguen en compañía de una
heralda de buena voz. Es fuerza que haga esto, ya que me
han elegido para tener el mando, y que organice las comi-
das en común para que hoy ya os banqueteéis.

BLÉPIRO. ¿Nos banquetearemos hoy ya?

PRAXÁGORA. Así lo afirmo. Y luego, quiero dejar cesantes a
las putas, a todas.

BLÉPIRO. ¿Con qué intención?

CREMES. Está bien claro: para que disfruten ellas mismas de
la flor de los jóvenes.

PRAXÁGORA. No es justo que mujeres esclavas, bien arregla-
das, roben fraudulentamente el placer de las mujeres libres.
Deben acostarse sólo con los esclavos, con el cerdito depilado como para hacer una pelleja.

BLÉPIRO. Voy a ir contigo para que me miren y digan: «¿No
os gusta el marido de la generala?»

CREMES. Y yo también, para llevar mis cacharros al ágora,
voy a coger y examinar mis bienes.

CORO. (*Canta y danza.*)

CREMES. (*Mientras dos esclavos van sacando sus cosas.*) Ven tú, cedazo, bonito, bonitamente a la calle, la primera de mis cosas,

[249]

para que hagas de canéforo, enharinado después de haber volcado tantos sacos míos de harina.—¿Dónde está la que lleva el taburete de la canéforo? Sal tú, marmita, bien negra, por Zeus, como si cocieras el tinte con que Lisícrates se tiñe el pelo.—Tú, azafata, ponte a su lado.—Y tú, moza del cántaro, pon ahí ese cántaro.—Sal también tú, tocadora de cítara, que tantas veces me has despertado para ir a la Asamblea en plena noche con tu canto de albada.—Que se adelante ahora el que trae el gran cofre y tráeme los panales, pon cerca los ramos y saca los dos trípodes y el lecito. (*Los esclavos han ido sacando: un cedazo, una marmita, un frasco de perfumes, un cántaro, una muela de molino, un cofre, unos panales, ramos, dos trípodes y un lecito. Los colocan en fila, representando a personas y objetos de la procesión de las Panateneas.*) Los pucheros y las cosas menudas, dejadlos.

HOMBRE. (*Entrando.*) ¿Que yo vaya a entregar lo mío? Sería un desgraciado, un hombre sin seso. No, por Posidón, jamás, voy antes a poner a prueba todo esto y a examinarlo. No voy a tirar tan tontamente mi sudor y mi ahorro por mucho que se diga, antes de averiguar en qué consiste todo esto.—Tú, ¿qué significan esos cacharritos? ¿Los has sacado fuera porque te mudas o es que los vas a dar en prenda?

CREMES. De ninguna manera.

HOMBRE. ¿Y por qué están así en fila? ¿O es una procesión que hacéis en honor del heraldo Hierón[59], para que los subaste?

CREMES. No, por Zeus, es que quiero entregarlos a la ciudad en el ágora, según las leyes que han sido aprobadas.

HOMBRE.
    ¿Vas a entregarlos?
CREMES.
                    Desde luego.
HOMBRE.
                            Eres un infeliz,
    por Zeus Salvador.

---

[59] El heraldo anuncia la subasta de los bienes confiscados por el Estado.

CREMES.

¿Cómo?

HOMBRE.

¿Qué cómo? Muy fácilmente.

CREMES.

¿Pues qué? ¿No debo obedecer a las leyes?

HOMBRE.

¿A cuáles, desgraciado?

CREMES.

A las decretadas.

HOMBRE.

¿A las decretadas? Qué tonto eres.

CREMES.

¿Tonto?

HOMBRE.

¿Cómo no? El más imbécil de todos.

CREMES.

¿Porque hago lo que está ordenado?

HOMBRE.

¿Y el hombre cuerdo debe hacer lo que está ordenado?

CREMES.

Antes que ninguna cosa.

HOMBRE.

Querrás decir el estúpido.

CREMES.

¿Y tú no piensas entregar nada?

HOMBRE.

Me guardaré mucho,
antes de ver qué es lo que quiere el pueblo.

CREMES.

¿No ves que están dispuestos a entregar
sus cosas?

HOMBRE.

Cuando lo vea, lo creeré.

CREMES.

Por lo menos, es lo que van diciendo por la calle.

HOMBRE.

Lo dirán
sin duda.

CREMES.

Y aseguran que las cogerán y las llevarán.

HOMBRE.

Lo asegurarán, sin
duda.

CREMES.

Desconfiando, vas a estropearlo todo.

HOMBRE.

Desconfiarán, sin
duda.

CREMES.

Que Zeus te machaque.

HOMBRE.

Machacarán, sin duda.

¿Te crees que va a llevarlas ninguno que tenga juicio? No
es costumbre tradicional nuestra, sino que nosotros sólo
debemos recibir, por Zeus. Lo mismo hacen los dioses, lo
conocerás por las manos de las estatuas: cuando hacemos
oraciones para que nos den sus bienes, allí se quedan ex-
tendiendo su mano con la palma hacia arriba, no con aire
de dar, sino para recibir.

CREMES. Diantre de hombre, déjame hacer algo útil. Estas cosas hay que atarlas. ¿Dónde tengo una cuerda?

HOMBRE.

¿De verdad vas a llevarlas?

CREMES.

Sí, por Zeus,
ya estoy atando estos dos trípodes.

HOMBRE. ¡Qué estupidez! No esperar ni siquiera a ver qué hacen los otros y, entonces ya...

CREMES. ¿Hacer qué cosa?

HOMBRE. Esperar aún, y luego entretenerse todavía.

CREMES. ¿Para qué?

HOMBRE. Si hay un terremoto o un fuego que sea mal presagio o si atraviesa corriendo una comadreja, entonces deja-
rán de llevar las cosas, estúpido.

CREMES. Sería divertido si no queda sitio donde colocar todas
estas cosas.

HOMBRE. ¿Que no queda sitio?

No te preocupes, podrán depositarlas, aunque llegues pasado mañana.

CREMES.

¿Cómo?

HOMBRE. Yo sé muy bien que éstos votan muy deprisa, pero lo que se decide, luego lo niegan otra vez.

CREMES.

Las llevarán, amigo mío.

HOMBRE.

¿Y si no las transportan, qué?

CREMES.

Descuida, las transportarán.

HOMBRE.

¿Y si algunos lo estorban, qué?

CREMES.

Lucharemos con ellos.

HOMBRE.

¿Y si son más fuertes, qué?

CREMES.

Lo dejaré todo y me iré.

HOMBRE.

¿Y si las venden, qué?

CREMES.

Ojalá revientes.

HOMBRE.

¿Y si reviento, qué?

CREMES.

Harás bien.

HOMBRE.

¿Y tú vas a querer llevarlas?

CREMES.

Desde luego. Veo que mis vecinos las llevan.

HOMBRE.

Seguro que el estreñido de Antístenes[60]

---

[60] De Antístenes, quizá corego en el presente concurso, se habló ya arriba como estreñido (es decir, avaro) y llorón. Cfr. nota 40.

va a llevarlas. Es mucho más lógico
que primero cague... durante más de treinta días.

CREMES.

Vete al infierno.

HOMBRE. ¿Y Calímaco el poeta alguna cosa va a llevarles?

CREMES.

Más que el
rico Calias.

HOMBRE. Este hombre va a perder toda su hacienda.

CREMES. Dices algo terrible.

HOMBRE. ¿Por qué algo terrible? No te das cuenta de que
constantemente se votan decretos como ése. ¿No te acuerdas de aquello que se acordó sobre la sal?[61].

CREMES. Claro que sí.

HOMBRE. ¿Y no te acuerdas cuando votamos aquellas monedas de cobre?[62].

CREMES. Fue desgraciada aquella acuñación. Vendí uvas y me
marché con la boca llena de cobre y entonces fui al ágora a
por harina de cebada. Y cuando acababa de poner debajo el
saco gritó el heraldo: «No aceptéis en adelante monedas de
cobre: sólo valen las de plata.»

HOMBRE. Y el año pasado, ¿no juramos todos que la ciudad
iba a tener quinientos talentos del impuesto del dos y medio por ciento sobre el patrimonio que nos regaló Eurípides?[63]. Todo el mundo, enseguida, doraba a Eurípides con
panes de oro. Pero cuando examinando el asunto resultó
una vez más «Corinto, hijo de Zeus» y la cosa no fue a
nuestro gusto, todo el mundo ahora y entonces emba-
durnaba a Eurípides de pez.

CREMES. No es lo mismo, amigo. En aquel tiempo mandába-
mos nosotros, pero ahora mandan las mujeres.

HOMBRE. Voy a tener cuidado con ellas, por Posidón, no se
me meen encima.

---

[61] Parece que un decreto para rebajar el precio de la sal no se
cumplió.

[62] Monedas de aleación de oro y cobre, cuyo valor se rebajó luego.

[63] Eurípides no es el poeta, es un político que propuso el impuesto del 2,5
por 100 sobre el patrimonio, luego anulado. «Corinto, hijo de Zeus» es una
expresión proverbial de origen desconocido: se refiere al reconocimiento de
la verdad de las cosas.

CREMES. No entiendo ese delirio. Mozo, trae la pértiga[64].

MUJER HERALDO. (*Llegando.*) Oh ciudadanos todos, ahora es así la cosa, corred, venid junto a la generala para que seáis sorteados y la fortuna os indique a cada uno dónde cenar. Porque las mesas ya están llenas de toda clase de delicias, están ya abastecidas; y los lechos, junto a ellas, están llenos de pellejas de cabra y de alfombras. Están mezclando el vino y las perfumistas están allí de pie, todas en fila. Fríen el pescado, ensartan las liebres en brochetas, cuecen pasteles, trenzan coronas, tuestan aperitivos, las más jóvenes cuecen pucheros de puré. Y entre ellas Esmeo[65], con su vestido de jinete, va limpiando las escudillas de las mujeres. Gerón[66] avanza con su manto de lana y sus zapatos elegantes, riendo a carcajadas con otro jovencito; tiradas lejos, yacen en el suelo las alpargatas y la zamarra. Id pues, que el que lleva las galletas de cebada está allí ya en pie: ea, abrid las mandíbulas.

HOMBRE. Bueno, allá voy. ¿Por qué quedarme aquí, si esa es la decisión de la ciudad?

CREMES. ¿Y a dónde vas a ir sin entregar tus bienes?

HOMBRE. A la cena.

CREMES. De ningún modo, si a las mujeres les queda un poco de sentido común, si antes no haces entrega.

HOMBRE. Ya la haré.

CREMES. ¿Cuándo?

HOMBRE. Por mí no habrá problema, amigo.

CREMES. ¿Cómo es eso?

HOMBRE. Ya verás que otros lo hacen después de mí.

CREMES. ¿Y vas a cenar, a pesar de todo?

HOMBRE. ¡Qué remedio! Los hombres de bien deben ayudar a la ciudad en lo que puedan.

CREMES. ¿Y si no te dejan?

HOMBRE. Cargaré hacia adelante agachando la cabeza.

CREMES. ¿Y si te azotan, qué?

---

64 Para transportar los objetos.

65 Personaje desconocido. Se alude a sus prácticas sexuales, semejantes a las de Arifrades.

66 Personaje desconocido, un jovencito pretencioso.

HOMBRE. Las citaré a juicio.

CREMES. ¿Y si se burlan, qué?

HOMBRE. Puesto ante la puerta...

CREMES. ¿Qué vas a hacer? Dímelo.

HOMBRE. Les quitaré la comida a los que la lleven.

CREMES. Ven, pues, detrás de mí. Vosotros, Sicón y Parmenón, transportad mis cosas. (*Los esclavos las ponen en la pértiga.*)

HOMBRE. Ya te ayudo.

CREMES. De ninguna manera. Me da miedo de que delante de la generala, cuando yo deje mis cosas en el suelo, las reclames como tuyas.

HOMBRE. Por Zeus, necesito algún truco para seguir siendo dueño de lo mío y tener en común con éstos una parte de lo que se amasa. Mi idea es la mejor: debo ir con ellos a cenar y no entretenerme.

CORO. (*Canta y danza.*)

VIEJA A. (*En la ventana de la primera casa.*) ¿Por qué no han llegado ya los hombres? Hace mucho que era tiempo.—Aquí estoy embadurnada de albayalde, con mi camisa de azafrán, ociosa, canturreando para mí misma una cancioncilla, jugueteando para atrapar a alguno según pasa. Musas, acudid a mi boca con alguna canción de tipo jónico.

LA JOVEN. (*En la ventana de la segunda casa.*) Te adelantaste a asomarte, podredumbre. Creías que yo no estaba y que ibas a vendimiar mi viña abandonada y a hacerte con alguno cantando. Pero si lo haces, yo cantaré a mi vez. Aunque esto fastidie al público, tiene algo de agradable y de chistoso.

VIEJA A. (*Enseñando el dedo índice.*) Habla con ésta y vete. Y tú, amorcito mío de flautista, coge la flauta doble y acompaña a una canción digna de ti y de mí.

Si uno quiere algo bueno,
debe dormir conmigo.
No hay arte en las jóvenes,
sólo en las maduritas.

[256]

Ninguna amaría más
a su amigo que yo,
volaría hacia otro.

LA JOVEN.

No hables mal de las jóvenes
pues el placer reside
en muslos tiernos,
y en las manzanas.
Tú, vieja, depilada
     y repintada
atraes sólo a la muerte.

VIEJA A.

Pierdas el agujero,
se te hunda la cama
buscando ser jodida;
una sierpe en la cama
     agarres
cuando quieras besar.

LA JOVEN.

¡Ay! ¿Qué será de mí?
No ha llegado mi amigo.
Me he quedado aquí sola,
se ha ido lejos mi madre.
Y no voy a decir las demás cosas.
Nodriza, te suplico
llama a Tieságoras
     por gozar de ti misma[67],
     te imploro.

---

[67] Que use un consolador ya que no puede tener un amante.

Vieja A.

A la moda de Jonia
estás cachonda, pobre.
Yo creo que harás la lambda, cual los lesbios[68].
Mas no vas a robarme
mis posturas: mi edad
no arruinarás
ni vas a recobrarla[69].

Vieja A. Canta todo lo que quieras y asómate como una comadreja, porque nadie va a entrar en tu casa antes que en la mía.

La joven. Para enterrarme no, por cierto.—No lo esperabas, podredumbre.

Vieja A. No por cierto. ¿Qué cosa nueva podría decirle nadie a una vieja? Mi vejez no va a darte disgusto alguno.

La joven. ¿Pues qué, entonces? ¿Tu colorete y tu albayalde?

Vieja A. ¿Por qué hablas conmigo?

La joven. ¿Y tú por qué te asomas?

Vieja A. ¿Yo? Canto para mí dirigiéndome a Epígenes, mi amigo.

La joven. ¿Tienes algún amigo, aparte de Viejales?

Vieja A. Él te lo va a hacer ver, va a venir enseguida.—Aquí está ya.

La joven. No porque te necesite para nada, peste.

Vieja A. ¡Por Zeus que sí!

La joven. Vieja consumida, te lo hará ver él mismo, yo me voy.

Vieja A. Y yo también, para que veas cuánto más sensata soy que tú.

(Se meten dentro ambas.)

---

68 Alude con la letra inicial al verbo «lamer».
69 Burla: «recobrar la vejez» está hecho sobre «recobrar la juventud».

EL JOVEN. *(Llegando.)*

Pudiera yo dormir junto a la joven
sin que tuviera que antes machacar
   a alguna chata o vieja:
no es cosa digna ésta de hombres libres.

VIEJA A. *(Asoma de nuevo.)*

Pues vas a machacar entre gemidos:
ya pasó el tiempo de Caríxena[70].
Según la ley es justo
obrar así, si es que esto es democracia.
Pero voy a espiar qué es lo que hace. *(Se retira dentro.)*

EL JOVEN. Ojalá, oh dioses, coja sola a la joven que estoy buscando bebido desde hace rato, lleno de deseo.

LA JOVEN. *(Se asoma.)* He engañado a la maldita vieja: se ha ido, pensando que iba a quedarme dentro. Pero aquí está el joven del que hablábamos.

Aquí, aquí,
querido, aquí
acércate y mi amante
esta noche sé tú.
Terrible amor me agita
por tus cabellos.
Deseo sin fin me tiene,
me ha desgarrado.
Eros, no me atormentes, yo te imploro,
haz tú que éste
   venga a mi cama.

EL JOVEN.

Aquí, aquí,
querida, a mí

---

[70] Una antigua música y poetisa, como si dijéramos de Maricastaña.

corre y la puerta
ábreme o en el suelo yaceré.
Quiero, abrazado en tu regazo,
luchar a golpes con tu culo.
¿Por qué, oh Cipris, me enloqueces?
Eros, no me atormentes, yo te imploro,
haz tú que ésta
venga a mi cama.
Todo esto con mesura, en esta angustia,
lo dije. Pero, amiga, lo pido,
ábreme, abrázame:
sufro por ti.
Joya labrada en oro, retoño de Afrodita,
abeja de la Musa, pupila de las Gracias, imagen del Placer,
ábreme, abrázame:
    sufro por ti. (*Llama a la puerta de* LA JOVEN.)

VIEJA A. (*Abre su puerta y se dirije al* JOVEN.) Tú, ¿por qué llamas? ¿Me buscas a mí?
EL JOVEN. ¿De dónde?
VIEJA A. Has golpeado mi puerta.
EL JOVEN. Antes me muera.
VIEJA A. Entonces, ¿por qué has venido con una antorcha?
EL JOVEN. Estoy buscando a un hombre Masturbistio.
VIEJA A. ¿A quién?
EL JOVEN. No a Sejodio[71], al que quizá tú esperas.
VIEJA A. Sí, por Afrodita, si quieres como si no quieres. (*Le abraza.* EL JOVEN *se separa.*)
EL JOVEN. No introducimos ahora las causas de más de sesenta años, las hemos aplazado para más adelante. Juzgamos las de menos de veinte años.
VIEJA A. Eso era con el régimen anterior, bomboncito. Ahora hay que introducirnos a nosotras las primeras.
EL JOVEN. Si uno así lo quiere, según las reglas del juego de damas.

---

[71] Con este nombre, como con el anterior, intento traducir nombres griegos que son deformaciones obscenas: el primero, reinterpreta el nombre de los habitantes de un demo, el segundo es supuestamente un nombre de varón.

Vieja A. Pues no vas a cenar, según las reglas del juego de damas.

El joven. No entiendo lo que dices: yo tengo que sacudirme a esa otra.

Vieja A. Cuando primero sacudas mi puerta.

El joven. No es una criba lo que ahora estoy buscando.

Vieja A. Sé que me amas, pero has tenido un corte al encontrarme en la puerta. Ven, acerca tu boca.

El joven. Amiguita, me da miedo tu amante.

Vieja A. ¿Cuál?

El joven. El mejor de los pintores.

Vieja A. ¿Quién es ése?

El joven. El que pinta los vasos funerarios para los muertos. Entra dentro, no te vea en la puerta.

Vieja A. Ya sé, ya sé lo que quieres.

El joven. También yo, por Zeus.

Vieja A. Por Afrodita, a la que me tocó en suerte, no voy a soltarte. *(Le agarra.)*

El joven. Chocheas, abuelita.

Vieja A. Deliras, te llevaré a mi cama. *(Tira de él.)*

El joven. ¿Por qué compramos ganchos para sacar el cubo del pozo cuando podríamos echar abajo a esta viejecita y sacar de los pozos los cubos?

Vieja A. No te burles de mí, desgraciado, ven conmigo.

El joven. No tengo obligación si no has pagado a la ciudad el dos por ciento por la compra[72].

Vieja A. Por Afrodita, sí que tienes obligación, porque me gusta acostarme con los de esa edad.

El joven. Y a mí con las de esa edad me fastidia y jamás te haré caso.

Vieja A. *(Enseñando un rollo de papiro.)* Pues, por Zeus, esto te va a obligar.

El joven. ¿Qué cosa es ésa?

Vieja A. Un decreto en virtud del cual debes venir conmigo.

El joven. Dime qué es.

Vieja A. Voy a decírtelo. *(Leyendo.)* «Han decretado las muje-

---

72 Parece tratarse de un impuesto sobre la transmisión de bienes.

res que si un joven desea a una joven, que no entre a saco en ella antes de haberse sacudido a la vieja. Y si no quiere sacudirla primero y desea a la joven, a las mujeres viejas les será permitido arrastrar sin fraude al joven, cogiéndolo de la clavija.»

EL JOVEN. ¡Ay de mí! Hoy voy a hacer el papel del bandido Amartillustes[73].

VIEJA A. Es preciso obedecer a nuestras leyes.

EL JOVEN. ¿Y qué si ofrece fianza un ciudadano de mi distrito o algún amigo mío?

VIEJA A. Los varones no tienen ahora capacidad legal en asuntos de más de una fanega.

EL JOVEN. ¿Y no puede prestarse juramento?

VIEJA A. No valen dilaciones.

EL JOVEN. Alegaré que soy un comerciante.

VIEJA A. Lo harás llorando.

EL JOVEN. Entonces, ¿qué hay que hacer?

VIEJA A. Venir conmigo.

EL JOVEN. ¿Es fuerza esto?

VIEJA A. Como la de Diomedes[74].

EL JOVEN. Bien, extiende primero orégano, coloca encima cuatro sarmientos de vid, ponte bandas en la cabeza y colócate al lado los vasos funerarios. A la puerta, pon una pila de agua lustral.

VIEJA A. Seguro que me comprarás también una corona.

EL JOVEN. Sí, por Zeus, si la encuentro de cera mortuoria. Pues creo que ahí dentro vas a caerte en trozos al instante.

(*La* VIEJA *se lo lleva dentro. Sale* LA JOVEN.)

LA JOVEN. ¿A dónde te llevas a éste a rastras?

VIEJA A. Le meto en mi casa.

LA JOVEN. No estás bien de la cabeza. No tiene la edad legal para dormir contigo, es tan jovencito. Podrías ser su ma-

---

[73] Reinterpretación obscena del nombre del bandido mítico Procrustes.

[74] No se trata del Diomedes homérico, sino de un bandido mítico que daba a su caballos a los que no querían acostarse con sus hijas, para que los devorasen.

dre, más que su mujer. Si implantáis esa ley, vais a llenar de Edipos la tierra entera.

Mujer A. Miserable, por envidia se te ha ocurrido eso. Pero me vengaré *(Entra en casa.)*

El joven. Por Zeus Salvador, qué gran favor me has hecho, dulcecito, con librarme de la vieja. A cambio de este servicio, a la tarde te haré un favor grande y gordísimo. *(Gesto obsceno. Hace ademán de irse con ella.)*

Vieja B. *(Entrando.)* Tú, ¿a dónde la arrastras con violación de esta ley, cuando lo que está escrito dice que duerma primero conmigo?

El joven. ¡Ay desgraciado! ¿De dónde has salido? Vas a morir de la peor muerte. Esta peste es peor todavía que la otra.

Vieja B. Ven aquí.

El joven. *(A La joven.)* No dejes que me arrastre, te lo suplico.

Vieja B. Es la ley, no soy yo quien te arrastra.

El joven. A mí no, es una Empusa[75] vestida de pústula hecha de chupar sangre.

Vieja A. Ven de una vez, monada, no charles tanto.

El joven. Bueno, déjame ir al retrete primero a mi casa para cobrar valor. Si no, me vas a ver haciendo aquí mismo enseguida, de miedo, una cosa colorada.

Vieja B. Tranquilo camina: ya cagarás en mi casa.

El joven. Temo que más de lo que quiero. Pero voy a presentarte dos fiadores de garantía.

Vieja B. No me presentes nada. *(Lo arrastra. Aparece la Vieja C.)*

Vieja C. ¿A dónde, a dónde vas con ésta?

El joven. No voy, me arrastran. Pero, seas quien seas, ojalá tengas toda clase de bienes porque no has permitido que me hicieran papilla. *(Se fija mejor.)* Heracles, Panes, Coribantes, Dioscuros, esta peste es todavía peor que la otra. ¿Qué cosa es ésta, por favor? ¿Una mona llena de albayalde o una vieja resucitada de los muertos?

---

[75] Una especie de bruja.

Vieja C. No te burles, ven aquí.

Vieja B. No, aquí.

Vieja C. (*Le agarra.*) No voy a soltarte.

Vieja B. (*Le agarra.*) Ni yo tampoco.

El joven. Vais a partirme en dos, malditas.

Vieja B. Debes venir conmigo, de acuerdo con la ley.

Vieja C. No si viene otra vieja más fea todavía.

El joven. ¿Y si perezco miserablemente por culpa de las dos, decid, cómo voy a llegar a aquella guapa?

Vieja C. Eso es asunto tuyo. Pero esto, has de cumplirlo.

El joven. ¿Y a cuál he de turmbarme la primera para quedar libre?

Vieja C. ¿No lo sabes? Vas a venir aquí.

El joven. Entonces, que me suelte esa otra.

Vieja B. No, ven aquí conmigo.

El joven. Si me suelta ésa.

Vieja C. Yo no te suelto, por Zeus.

Vieja B. Ni yo tampoco.

El joven. Seríais terribles si os dedicarais a desembarcar gente.

Vieja B. ¿Por qué?

El joven. Tirando las dos de los pasajeros, los destrozaríais.

Vieja C. Cállate, ven conmigo.

Vieja B. No, conmigo.

El joven. Este asunto es según el decreto de Conono[76]: debo joder por separado. Pero, ¿cómo voy a ser capaz de remarme a las dos?

Vieja C. Lo harás en cuanto comas un puchero de cebollas. (*Tira más fuerte.*)

El joven. Ay, desdichado, ya casi me ha llevado a rastras junto a la puerta.

Vieja B. Pues no vas a adelantar nada: yo entraré contigo.

El joven. No, por los dioses. Mejor es ser acometido por una desgracia que por dos.

---

[76] Parodia del decreto de Conono, que establecía que se juzgara por separado a las personas culpables del mismo crimen. Aristófanes sustituye «juzgar» por «joder», por el parecido de las palabras griegas.

Vieja C. Por Hécuba, si quieres, como si no quieres.

El joven (*Declamando.*) ¡Ay de mí, tres veces infeliz!, si a una mujer podrida he de joder la noche y el día enteros y luego, cuando me libre de ella, a una Frine[77] que tiene un bulto como un vaso funerario en las mandíbulas. ¿No soy yo desgraciado? Soy de verdad varón infortunado y desdichado, por Zeus Salvador, si he de nadar con estas bestias. Sin embargo, si sufro algo irreparable, como sucede muchas veces, por obra de estas putas, mientras navego hacia este puerto, enterradme en la misma boca del canal y a ésta (*señala a la* Vieja C) encima de la tumba, embadurnándola aún viva de pez, echando plomo a sus dos pies en torno a los tobillos, ponedla allí arriba, a manera de vaso funerario[78]. (*La* Vieja C *le hace entrar dentro, pese a los esfuerzos de la otra.*)

Coro. (*Canta y danza.*)

Servidora. (*Llega de fuera. Declamando.*) Oh pueblo afortunado, tierra feliz, y mi señora más dichosa que nadie y vosotras, las que estáis junto a las puertas, y los vecinos todos y los del distrito y yo también, la servidora, perfumada mi cabeza con perfumes excelentes, por Zeus. Pero a estos perfumes les dan ciento y raya las anforitas de vino tasio: permanecen mucho tiempo en la cabeza, pues los otros perfumes pronto se pasan y se esfuman. Aquéllos son mucho mejores, muchísimo, oh diosas. Mezcla vino puro: te daré alegría la noche entera si eliges el de mejor perfume.—Pero mujeres, decidme dónde está el amo, el marido de mi ama.

Corifeo. Si te quedas aquí, me parece que vas a encontrarlo. (*Sale* Blépiro *con corona y antorcha.*)

Servidora. Justo, ya va a la cena. Amo, hombre feliz, tres veces venturoso...

---

[77] Una mujer cualquiera, no la famosa cortesana Frine.

[78] En vez del lecito o vaso funerario que suele ponerse sobre una tumba, el joven pide que sobre la suya se ponga a la vieja, embadurnada de pez y sujeta con plomo.

BLÉPIRO. ¿Yo?

SERVIDORA. Tú, sí, por Zeus, más que nadie. Pues ¿quién podría ser más feliz que tú, el único de entre los treinta mil ciudadanos que no ha cenado todavía?

CORIFEO. Has hablado bien claro de un hombre afortunado.

SERVIDORA. ¿A dónde vas, a dónde?

BLÉPIRO. Voy a la cena.

SERVIDORA. Por Afrodita, el último de todos. Sin embargo, el ama me encargó que te cogiera y te llevara allí y contigo a estas jovencitas. (*Señala al* CORO.) Queda aún vino de Quíos y otras muchas exquisiteces. Así, no os retraséis y que los espectadores que sean amigos nuestros y los jueces del concurso que no miren a otra parte, vengan también con nosotros. Les daremos de todo.

BLÉPIRO. ¿Se lo vas a decir generosamente a todos y no te saltarás a ninguno? ¿Vas a invitar liberalmente a viejos, jóvenes y niños? Ya está preparada la cena para todos, si se van a su casa[79]. Yo salgo ya para la cena: llevo a punto mi antorcha.

SERVIDORA. ¿Por qué te entretienes tanto y no te llevas a éstas? Mientras vas bajando a la ciudad, yo cantaré una canción de preludio de cena.

CORIFEO.
Un pequeño consejo deseo dar a los jueces[80]:
a los sabios, que recuerden las cosas sabias que he dicho y
    me voten,
y a los que se ríen a gusto, que por la risa me voten.
Y que el sorteo de las comedias no me perjudique,
en el que yo salí en primer lugar. Debéis recordar todo esto
y no perjurar, sino juzgar las comedias con justicia
y no pareceros a las malas cortesanas
que sólo se acuerdan de los últimos.

---

[79] Broma del poeta: los invitados comerán bien si se van a su casa, el convite en el teatro es ilusorio.

[80] Los jueces del concurso cómico.

SERVIDORA.

Ea Ea, es tiempo,
amigas queridas, si vamos a poner en obra nuestro asunto,
de salir disparadas a la cena. A la manera crética, tus pies
mueve tú también.

BLÉPIRO.

                    Lo estoy haciendo.

SERVIDORA.

Y a estas chicas, tan ligeras, empújalas a que lleven con sus
   patitas el ritmo de la danza. Pues va a haber enseguida
   rodajas - de - pescado - de - raya - y - cazón; cabecitas -
   de - pescado - con picante - queso rallado
y silfio; en queso y - miel - bañados
todos - sobre - mirlos - palominos,
torcaces - palomas - gallos; guisadas - alondras - chochas
pichones - liebres; cocidas - en - vino - alas
con - sus ternillas. Después de oír esto
tú, rápido, rápido coge un plato,
y después ve deprisa con un lecito a por puré... para cenar.

BLÉPIRO. Ya están manducando.

CORO. *(Danzando.)*

Saltad en alto, ¡iá, iá!
A cenar, ¡evoí, evaí!
   ¡Victoria, evaí!
¡Evoí, evoí, evaí, evaí!

ÍNDICE

Colección Letras Universales

DE PRÓXIMA APARICIÓN